Paradise

两年前，4岁的贝贝第一次接触到“天堂”这个词，问老哥什么是天堂，老哥笑着说：“天堂就是我们家，我们家就是天堂。”

2004年冬天，在伊斯坦布尔的老街，我和老哥行走在夕阳里，影子在我们的前面拉得很长，老哥心里一动，拿起相机，拍下了相扶的我们。

三个人的天堂

全世界最幸福女人的生活手记

深圳女蛙◎著

中信出版社
CHINA CITIC PRESS

三只兔子的天堂

Contents 目录

全世界最幸福的女人

引子:我突然想写了

我突然决定要写了。尽管几天前,我还是那样愚顽不化,油盐不进,因为不肯写被我那帮朋友恨得咬牙切齿。

那是一个毫无主题、毫无目的的聚会。在狂吃一通,撑得目光呆滞、精神空虚、百无聊赖的时候,他们就像往常一样拿我们家的鸡毛蒜皮开涮,并戏称是“餐后甜品”。

“你老哥最近有什么搞笑的话?”

“贝贝有什么故事没有?”

深圳东部的一片河滩上，长出了深及膝盖的草，我走过去，躺下，变成一个“大”字，老哥和贝贝如法炮制，和我一起听大地。老哥用相机自拍下了这一刻。

“老哥”其实是我的先生，俗称老公，只是我从来不这么叫他。我叫他“老哥”或“哥哥”，已经有十多年了。

开始当着朋友的面这么叫时还有点不好意思，但后来他们也慢慢习惯了，都是亲人或好友。他们提到我老哥时也通称“你老哥”或“你哥哥”之类，有时带点坏笑。

老哥是个律师，从不见他有多忙，没有特别要紧事就经常和我在家“鬼混”，对于我要求一起吃早茶、共进午餐、看夕阳、喝咖啡之类的事常常会答应。

老哥最明显的兴趣是读书看报，他说：“只要一卷在握，哪怕不翻一页心里都觉得踏实”。他经常在朋友面前秀一秀，满足点虚荣心的爱好就是摄影。老哥在摄影上有着业余的天分，我非常鼓励他玩摄影，无比投入地献身当他的超模，当然，分不清是为他还是为自己。

不过，老哥对他的爱好有自己的认识：“不爱抽烟不爱喝酒，不爱打牌不爱泡吧，只爱老婆和孩子。”他总是得意地调侃自己：“我的特长是会娶老婆，可惜这特长一辈子只能发挥一次。”

贝贝是我们的女儿，现在6岁多了。

第一次见到她的人无一例外都会说她“好白”，包括为她接生的护士。3岁的时候贝贝已经懂得为自己的白骄傲了，她一听别人夸她白，就会回答说：“这是我最大的卖点。”

这小女人是个臭美冠军。有一次，看见我穿一套新衣服，站在镜子面前摇来摆去准备出门时，她突然跑进洗手间大哭，一颗颗眼泪从白色的小胖脸上连滚带爬地下来。吓得我们赶紧问她为什么，她哽咽着说：“妈妈的裙子太漂亮了，我没有。”

还有一次在电梯里，别人表扬她：“这小女孩好可爱，白白胖胖的。”她走出电梯十来米后，实在忍不住了，很气愤地说：“谁说我胖，

谁自己就是丑八怪！”

贝贝爱画画。她有一天晚上 11 点了还没睡着，我问她怎么啦，她说：“今天没画画，睡不着。”我说：“那就起来画一幅吧。”贝贝立即花 5 分钟画了一幅，然后酣然睡去。

我们家这两位的故事常被朋友们深度挖掘，并广为流传，而我则在长期的“甜品”事业中，逐渐被老哥授予“隐私贩卖者”的光荣称号。

那天在聚会上，我如常报道了贝贝的最新趣闻后，灿灿突然说：“哎，你把这些写下来嘛，写成一本书，绝对畅销。”我大吃一惊，从来没想到自己也能跻身写书者的行列：“啊？写什么？”

“就写你们家，写你们的天堂啊，最好来个绝对纪实。”杨杨突然一抹油嘴，来了兴趣。两年前，4 岁的贝贝第一次接触到“天堂”这个词，问老哥什么是天堂，老哥笑着说："天堂就是我们家，我们家就是天堂。"当时正好杨杨在我们家蹭晚饭，听到老哥的回答后，无限扩张地宣扬了出去，并成功地把这句话打造成了老哥的名言。

"得了吧，这年头写苦难、写不幸有人看，有人同情。因为苦难才深刻，不幸才打动人，人生不如意十之八九，写这些，读者看起来才有共鸣。要写幸福，怎么看怎么肤浅，绝对空洞，没人看。"我来了个即兴发挥，希望立马说服他们掐了这念头。

"苦难、不幸当然值得同情和尊重，但幸福是每个人的向往，写幸福可以带给读者阳光和希望。"老金一向思辩，说出的话总是一锤定音般地肯定。

还没等我开口，平时并不怎么来事的燕子居然也帮起腔来了："每次听你讲你们家那些事，我们都很感动、很开心啊，既然我们喜欢，那别人也应该喜欢。你没发现你们家那些鸡毛蒜皮的事每次都让我们听得着迷？"

"唉呀，我又不是名人，名人的日常琐事有人追着看，还没见过普通人也来卖自己的破事的。"我对这个话题嗤之以鼻，一点兴致都没有。

"不对，看名人的故事是因为追星，因为猎奇，想看看人家名人是怎么过日子的，而看普通人的故事，对于普通人才有教益。百分之九十九点九的人都是普通人啊，你是'全世界最幸福的女人'，你的那些幸福理论和幸福故事，一直对我们有启发啊。"真奇了怪了，连薇薇这种不掺合的人都极力怂恿起来了。

"可是，我凭什么去说教，我有什么资格说教？每个人都是自己的生活大师，按自己的方式去生活，按自己的方式寻找自己的幸福。我的生活跟别人有什么关系？"我简直有点急了。

"你不用说教，就如实写下你们的生活就好了，保证读者看了会觉得有意思，会像我们一样哈哈大笑。”Vivian 的表情像已经看到读者正人手一本，边看我的书边傻笑。

“拜托你们别整我了行不？像我这种平时写几千字的报道都恨不得哭的人，还写书？”我感觉自己就差喊救命了。

“你好歹也是咱主流大报一主编，干新闻干了 10 年了，说出这么丢我们报社老脸的话，小心我叫老总把你给炒了。”Jessica 是我的同事兼好友，说话绝对不留情面，看大家这么给我面子，我还一副给脸不要脸的模样，恨不得当场把我骂个狗血喷头。

“亲爱的，你只是有点懒，我们又不是没看过你写的东西。”玛亚看大家这么逼我，善解人意地给我打起气来。

“好吧，让我好好想想？”我看这个问题越纠缠越严重了，于是不顾他们看我时那副恨铁不成钢的表情，虚晃一枪，收了场。

今天早晨有点邪门，我这种平时一觉睡到 8 点多，还要强烈依靠闹钟的人，居然在早上 5 点就自然醒了，更奇怪的是脑袋清醒得一塌糊涂，满足得一塌糊涂。

我伸了个舒服的懒腰后，扭头看着熟睡的老哥。朦胧的晨光里，老哥酣睡如纯真的孩子，表情恬静、安详，我忍不住伸过手去，轻抚他的脸庞。他似乎感觉到了我，下意识地把手臂伸向我的脖子，我就势将头一抬，枕着他的臂弯，他用头轻轻碰我几下确认后，习惯性地用头抵住我的头，睡去。我一动不动地枕着他，心里突然很感慨：“天啦，我们相爱都十多年了，结婚都 9 年了，怎么会有越来越爱的感觉呢。”

直挺挺地甜蜜了一会儿之后，我蹑手蹑脚地爬了起来，走向薄雾笼罩的阳台。我趴在栏杆上，听着小鸟欢叫成一片，俯瞰着晨雾中的华侨城，内心无比宁静。看到世界之窗的埃菲尔铁塔，我突然想起刚到深圳时，一直不舍得花100块钱买门票，于是，几年下来每次都只是在外面转悠，然后对老哥说："外面肯定比里面好看多了。"想想那时的情景，不禁开怀。

一晃，我们到深圳就是10年了，10年前的情景，还那样清晰可见，如今，贝贝都快7岁了，成了我和老哥的好朋友，成了朋友们的开心果。

一想到我那些好友们，那天聚会的情景开始在脑际盘桓，萦绕不去。那天说的每句话，都在我脑海里拼命翻滚，激活着我的神经。

"何不真的写下来？"这一念头从自己脑海中跳出来时，我还是吓了一跳，但突然又兴奋起来。

我们到深圳10年了，拥有了自己想要的天堂，我们结婚9年了，正享受着自己营造的"蜜月"。就写我们的深圳10年，就写我们的结婚9年，就写我们三个人的天堂——

本书由老哥的摄影作品、贝贝的画和我的文字组成。

老哥说，这就是我们俩，独立而又相依。

第一章　初为深圳人

10 年前，我和老哥借了 2000 块钱，一人拎一个包来了深圳。我们共吃 5 块钱的“美味佳肴”；偷藏荔枝到路边灌木丛；像小时候过家家一样，三个大人横着睡一张床——

那时候我们真穷，真快活。

1. “这床也忒宽了吧，一半就够”

1996 年 7 月，老哥毕业分配到深圳，在一家银行上班，我还在读研究生，暑假作为随行特使来到深圳。

当我们一人拎一个包，来到他们银行安排的宿舍时，两个人坐在地板上相视傻笑：一间大约 8 平方米的房内，除了一张 1 米 2 的床垫，空无一物。

“我们有 2000 块钱，可以买很多东西的，我们有钱。”老哥豪气十足地伸出手，夸张地拍了拍他那人造革钱包，里面鼓鼓囊囊地装着从亲戚那借来的 20 张百元大钞——我们闯荡深圳的全部费用。

傻坐一会儿后，我们掏出纸和笔来列购物清单，写到床上用品时，老哥指指那张床，很诡秘地说：“这床也忒宽了吧，一半就够。”我笑着擂了他一拳。

我们去最近的千百意商场（后来没过多久关门了，现在是酒楼），围绕着吃喝拉撒买了一大堆必需品，看到一盏台灯时，我的小资心理不顾当时的经济状况，狂作祟。

那台灯的灯罩和灯座都有印象派油画的感觉，色彩绚烂，还可调节光线，我一看到它，立即想买。我感觉那 8 平米的家，如果有了这盏台灯，绝对不至于惨白和空洞。但一看标价，要 160 块，我吓了一跳，心想，简直是敲诈。

我气得走开了，和老哥去选别的生活用品，但奇怪的是，离这盏台灯越远，我就越想买，绕了一圈后，又拉着老哥回到这盏灯前。

老哥说：“这太豪华了吧，妹，我们还不能买电器呢。”（因为 160 块的“天价”，台灯被尊称为“电器”）我当然也知道，但实在想买，站着不动，摇着老哥的手说：“买了吧，哥哥，豪华一把吧。”我后来偷眼看到老哥把这台灯放进购物车时，脸上有一种“豁出去”的表情。

这盏台灯后来成为我们家除人以外最大的亮点，它以调节光线的功能，充分地满足了我们的浪漫需求。有时我们将光线调到最低，体会“一灯如豆”的感觉；再大一点点，就朦胧成一片；更大时，橙红的光线就开始表现浪漫；再明亮的时候，我们就坐在床上温馨地用它看书。

冬天的夜晚，我们经常早早关了日光灯，把放在床头地板上的台灯调试好光线，爬上床。老哥把枕头靠在床头冰冷的墙上，迅速用背压住枕头，坐好，然后笑着把双手张开，伸向我，我立刻像只温柔的猫，乖乖地坐到他怀里，盖上被子，顺势把我们刚脱下来的外套、毛衣压在被子上取暖。

老哥负责捧书和翻书，我什么也不用管，只管把手窝在被子里暖和着。我的背贴着他的胸，他的头放在我的肩上，顺势一歪就能亲到我的脖子，他呼出的热气直吹进我的耳朵，我常常大叫“阅读环境恶劣”。

我表现好的时候，就用手揉搓老哥冰冷的脚丫，我边揉他边躲闪，嘴里发出各种怪笑。有时我干脆在他的脚掌里使劲挠痒痒，弄得他满床打滚，边滚边喊“救命”。

他乱滚一气的时候，经常会碰倒床垫旁的宝贝台灯，这时我们就会突然刹住笑，一起心疼我们家当时唯一的自买“电器”。

每天晚上，我们一打开这盏台灯，心灵就开始享受。

在我们后来的N次搬家行动中，这盏台灯总是成为第一重点保护对象。直到2003年，我的闺密玛亚到了深圳，我们把这盏台灯郑

重地送给了她,她一直把这盏台灯放在床上,和她最爱的书一起,陪伴她。

除台灯以外,我们还咬牙买了一张茶几,耗去巨资120块。这张黑色胶木板的茶几有4个轮子,可以自如地移位,还可以装拆。深圳的许多家具都有这个特点,据说是为了搬家,多数深圳人都会搬好几次家。

这张茶几在我们家属于绝对多功能家具。我们用它当餐桌、书桌、写字台、熨衣板,晚上充当衣柜,搬家的时候当小型运输车。作为我们的主力家具,它受到我和老哥的百般呵护,我们用了3年多,一点刮花的痕迹都没有。

后来,我弟弟也来深圳打工,我们把茶几送给了他。几年之后,他赚了点钱准备回老家发展,我们的茶几也衣锦还乡,现在还在我弟弟家中,在我们家乡继续发挥着多功能的贡献。

那一次在千百意商场,我们还买了来深圳后的第一套床上用品:一张草席,一床特价线毯,一个双人枕头。双人枕头死贵,要98块,不过很漂亮,而且枕头也实在太重要了,我们又做了一番激烈的思想斗争,最后还是买了。

不过,想到这几样床上用品可以一直用到11月份,我和老哥顿时觉得毕业后来深圳,是一个无比英明伟大的决定,要是去北京,10月份就得添置一套厚厚的床上用品,那得花多少钱呀。

买双人枕头时,我很怕别人看到,觉得买双人枕头就意味着告诉别人这两个人睡在一起了,担心别人说“这两个人,这么小,没结婚就住在一起,不害羞”。但后来听说深圳人不太管别人的私生活,再搬家时,我很大方地把双人枕头直接抱在自己怀里。

10年后的今天，这个双人枕头还在我们家。它听了我们太多甜言蜜语，感受了我们太多缠绵的故事，我不会送人，更不会丢掉，只偶尔把它们拿出来晒一晒，让它们和阳光对话一番。

2. “家的感觉是趴在窗户上等你回来”

没想到在深圳搬家真的那么快，刚到深圳才一个星期，老哥他们银行就要我们从燕南路搬到深圳教育学院去，说那里的宿舍空出一间房，比这间大。

房间真的大了许多，有十来平米，里面还有一些上一任留下的家具，但也还是“三无”房，没有洗手间、没有厨房、没有阳台。不过我们很高兴，房间大了就可以做饭，做饭就有家的感觉，而且比吃盒饭省钱。

当时我的小老乡刘剑平在彩虹新都做保安，他比我们先来，我们去他那玩的时候，他送我们一个不知道用了多少年，也不知道前几任使用者是谁的巨型电饭煲。他从床底下搬出那个电饭煲时说：“掉了漆倒没什么，就是不自动跳闸了，饭很容易烧糊。”我极领情地说：“没关系，饭熟了不跳闸，可以闻饭的香味，饭香了就拔掉插头，还可以训练我的鼻子。”

我曾经在10岁的时候，操持着巨大的铁锅和铁铲，在煤炉上做过我们全家7个人的饭菜。读大学的时候，和死党笨笨在宿舍用两只脚的电炉煮过方便面。读研究生的时候，常和老哥一起用酒精炉做过饭。现在居然有了电饭煲，那不是进入电器化时代了？

那个暑假，我雄心勃勃地要考当时公认最难考的证，注册会计师，白天老哥去上班，我就在家准备注册会计师考试。老哥试用期只有1400块一个月，他要坐公共汽车上下班，我们一日三餐要吃饭，还要付房租，这1400块，必须通过科学的精算来决定每一块钱的去留。注册会计师考试有一门课是《财务管理》，我说正好“学以致用”，嘿嘿。

我们的正餐是老哥回家后的晚饭，经过我的专业精算，我们两个人每天的晚饭只能用5块钱。我每天4点多钟去泥岗路的菜市场买菜，做好饭等老哥下班回来。

那个巨型电饭煲顿时发挥了作用，我既用来做菜，又用来做饭，有时先做好菜放旁边盖起来，再做饭，饭好了老哥就回来了。遇到那种应该马上吃的菜就先做饭，把饭盛出来再做菜。有时一边做饭，一边在饭上蒸菜。有时把腊肠、豆子一类的东西直接放进饭里一起做，做成菜饭，既当菜又当饭，绝不亚于现在在一流粤菜酒楼吃到的腊味煲仔饭。有时还用它煲汤，汤好以后下面条、粉丝，超级无敌美味。

后来，当我和朋友们开心地说这一段故事时，一位80年代出生的妹妹大叫一声：“My God，电饭煲还可以做菜？煲汤？”我大笑：“俺们无产阶级‘前辈’的生存智慧，你们新新人类难以想象吧？”虽然跟许多比我更老的无产阶级比，我这点事实在算不了什么，但好不容易逮着机会，当然要倚老卖老一番。不过，这也不能怪他们，他们吃的饭都是从电饭煲里盛出来的东北大米、泰国香米，也没看到过爸妈用电饭煲干过别的，当然想不到电饭煲还会有那么多妙用。

在那个暑假，这只巨型电饭煲是我这大厨唯一的武器。我每天变着法子做饭，每天吃的都不一样，用的晚饭钱都不超过5块。我估算着老哥回家的时间，快好了的时候，就趴在窗口看。老哥一进到院子就往我们家窗户望，望见我就猛挥手，然后一溜小跑回来。我在窗口一见到他，就立即把电饭煲插头拔了，然后盛饭，盛好饭时，老哥就刚好进屋。

老哥在亲我一下之后就开始赞不绝口、“吧唧吧唧”地吃饭。他咀嚼和吞咽的声音，如同演奏《欢乐颂》，让我得意无比。那时他常常因为疼惜、因为感慨、因为感动而说的那些话，也比后来任何时候说的都动情。本人的贤惠，也在那一段时间发挥得淋漓尽致。

而饭后和老哥牵着手在教育学院或银湖散步时的感觉，和多年以后在马尔代夫的夕阳里漫步，或在新疆阿尔泰的白桦林里听鸟叫时的心情一模一样。一样的宁静，一样的快乐，一样的美好。

那个暑假将结束的时候，我很陶醉地对老哥说：“哥哥，你知道家的感觉是什么吗？家的感觉就是趴在窗户上等你回来。”而他老人家却说：“家的感觉就是两个人一起穷，一起快活，所以叫穷快活。”

夕阳下，小河边，两头黄牛听着水声，自在地吃着草。老哥说，我们老了的时候就是这样。

3. 5块钱的“美味佳肴”

尽管老哥吃着我用5块钱买来的“美味佳肴”大肆表扬说：“你不是用5块钱，你是用研究生的素质、律师的智慧、爱人的心思来买菜的。”但有时候，5块钱以外的这3样东西，也不是那么管用。虽然那是1996年的物价，但用5块钱去菜市场买两个人的晚饭，其实也不容易。

我那时每天下午4点步行去最近的泥岗路菜市场，泥岗路当时相当地名副其实，晴天灰尘弥漫，雨天泥泞满踝。下午4点去买菜的人主要有三类，一类是保姆，一类是老人，还有一类是永远穿着睡衣和拖鞋的女人，最后一类比较多。

我当时刚到深圳，对于这类着装的女人不太理解。我不明白女人优美的身体为什么拿那样一件一统江山的劣质睡衣来罩住，很饱满的胸部，为什么用那样具有透视感的松垮文胸，穿一件脏乎乎的睡衣到处跑，怎么却像出入无人之境？我总是低着头不敢看她们。

至于菜市场那种氛围，我从来不喜欢。我总是在路上就盘算好，今天吃什么，怎么搭配，一进菜市场，立即找到想要的菜，买了就飞奔走人。但有时我想要的菜并没有，有时有，又不新鲜了。更常见的问题是价格不合适，有时我认为单价太贵，有时他们不愿意卖两块钱的牛肉或3块钱的排骨，我要么只能作罢，要么得换一家试试，要么要想办法说服那些打着赤膊、浑身油污的卖肉者，这些，都让我难办。

还有一次，本来是打算做肉末烧豆腐、红烧茄子的，我买下两块钱的瘦肉后，意外地发现有一家有个猪腰很新鲜，一问，要3块钱，我想，如果改做肉末豆腐加土法蒸腰花，那也不错，但那样的话总额要

6 块钱，超支了。

我问卖家“两块钱可不可以”，他极不耐烦地摇头。我只好走开去别家看看，走了一圈，发现别的摊档有的猪腰不如那个新鲜，有的不如那个大，我又回到原来那家，再试着问：“真的不能两块吗？”没想到他勃然大怒：“没有钱你就别买了，3 块钱都付不起还想吃腰花。我告诉你，这腰花我不卖了，两块钱？还一块钱呢！”他怒气冲冲又鄙夷不屑地看着我，鼻子拼命地“哼”出一声。

我本来只是再试试，他要不同意，我就 3 块钱也买了，完全没想到他会那么生气，我瞠目结舌，眼泪瞬间滚了出来，赶紧扭头走了，木木地按之前的方案再买了豆腐和茄子走出菜市场。

回来的时候，深圳的天空彩霞满天，但我的内心酸楚得没有一丝力气，我拖着像灌了铅的两条腿慢慢往回挪着，心里无限悲哀。

快到教育学院的时候，我对自己无力地说：“这就是辛酸，辛酸也是一种感觉，辛酸也是一种体验。人生就在于各种体验，只有幸福、只有快乐，那是不完整的。”

接着我分析了一下当时的情景，我对自己说我并没有错，至于他发怒不卖了，只能说明他的猪腰完全值他自己报出来的价格 3 块钱，而不是我想要的两块钱，他卖的东西物有所值，发现我居然不知道这一点，还跟他还价，他非常生气，或者那一刻他心情不好，可能正为什么事生气，我撞到了他的气头上，运气不佳。

这么一分析，我渐渐理解了那个卖猪腰的人，接受了他的怒火。我甚至想，没准换了我，也烦了，为了一块钱，反反复复地讨价还价，爱买不买。

“不过，我会有钱的。”我长叹一口气后，拼命给自己补充力气：“我读了 20 年书，是经济法专业的研究生，考过了律师资格，现在还在备考注册会计师资格。我不相信赚不到钱，我们现在是最穷的时

鸡爸爸喂虫子给鸡妈妈吃，他们总是那么相爱。

——贝贝

候，只会越来越有钱。”

我对自己说完这些之后，开始慢慢恢复体力，说服自己将这件事放下：人生不如意事十之八九，而我的人生里，如意事十之八九，我有限的记忆空间，只应该用来储存快乐的事情。对于不快乐的事，应该把它过滤掉。

踏进教育学院的大门时，我用劲甩了甩头发，心想，到家了，哥哥要回来了，我要像往常一样，做好 5 块钱的美味佳肴，等他回来。

我当然不能把这事告诉老哥，让自己的女人受穷，那是男人的死穴。男人自己受穷的时候，要么忍了，要么来一通国骂，或者展开一场愤世嫉俗的发泄，就过去了，但如果让他的女人和孩子辛酸，那会让他感觉痛到骨子里。我不能带给老哥这样的硬伤，我要养他的胃，更要养他的心。

4. 我被包围在隔离墙上

1995年的冬天，老哥在深圳找到了工作，回到我们就读的学校以后，他的主要话题成了深圳与武汉、长沙之比较（去深圳之前，他只呆过这两个城市）。我当时印象最深的是，他说："深圳的公园，那是真正的公园，公家的园子，不收钱的，不要门票。"我听了很吃惊。他还说："市中心就有个荔枝公园，很大，里面有山有湖，到处都是荔枝树，有四五个门，谁都可以进去的，一天到晚都有人在那吹拉弹唱，很好玩，风景又美。"

我当时听了无限神往，想起那一年的情人节，我们去武汉的中山公园，走路找了两个半小时，脚都走出泡了，结果进去半个小时不到，就出来了，一丁点儿大，又实在没什么可看的，还要门票。出来后想着还要走很远的路才有车搭，我气得说："什么情人节，简直是气死人节嘛。"后来我们每次回忆这句话都会狂笑不止。

和许多刚到深圳的人一样，1996年的暑假，我到深圳后没几天，就真的去了荔枝公园。尽管有了老哥的一再铺垫，还是显示了我想象力的局限。我们坐在荔枝公园的湖边，望着蔡屋围一带的高楼，心里豪情满怀，觉得深圳真是和我梦想中的一模一样。

老哥满心欢喜地说："以后你也来深圳工作了，过了试用期，我们两个人就大概有7000块钱一个月，7000块呢，做深圳人好吧？"他说"深圳人"时，比其他的字多用了一倍的力量，这力量让我充满欢愉，觉得自己好像已经成了深圳人。

那个暑假的晚上，我和老哥经常去罗湖国贸大厦一带逛夜景。

但当我们享受完那些高楼大厦外墙的繁华灯光，再回到教育学院我们那十来平米的简易宿舍时，初为深圳人的感觉常常变得复杂。

当时从罗湖回泥岗路的教育学院只有一趟公车，是24路。我们坐24路到泥岗立交桥下，教育学院在马路对面，立交桥下本来有地下人行通道，但当时晚上没有灯，地下通道就充当了许多人解决小急的场所，就算白天也几乎没人走，我们过马路都是在地面钻车的空子，然后猛冲。

在当时看来，那马路宽得气人。从立交桥上下来，有比较陡的坡，车速都非常快，路中间有一米左右高的水泥墙隔开，我们过这马路得分好几步。先瞅准车的间隙，然后迅速反应，以百米冲刺的速度冲到隔离墙边，再爬上隔离墙，接着等待时机，以同样搏命的速度过马路的另一半，才算过了马路到达了对面。有时运气不好，要站在隔离墙上等很长时间。

有一次我一个人晚上回家，还坐在公车上就为要一个人过那马路不由自主地捏紧了拳头。可能是由于太害怕，下公车后我几次尝试着要冲过去，都只跑了两步又败下阵来，总感觉自己对车速、对距离估计不对，再加上那时我的眼睛没做近视矫正手术，不太看得清楚。

一直犹豫到第五次，我将心一横，终于冲到了隔离墙下，刚一站定，一辆货柜车从我身边飞驰而过，“轰”的一声巨响，我感觉自己的身体不由自主地哆嗦了一下，爬上隔离墙时，我一屁股坐在上面，只剩下悲凉。我强烈地感觉到，总有一天我会被撞死在这里，脑海里一幕幕浮现出各种车祸现场的惨状……当我惊恐地回过神来时，满脸冰凉的泪水，我感觉自己仿佛死了一次。

坐在隔离墙上，我环顾四周。深圳的夜晚真是五彩斑斓，远远近近的灯光层层叠叠，集合成各种图案，把天空映成无边的橙红。长城大厦（那时候从泥岗路完全看得很清楚）真像长城一样长，密密麻

南澳的这片海，曾让我和老哥
在石头上呆坐两个小时。

麻绵延成一片。我知道那里的人都有了自己的房子，每一盏灯光就意味着一个家。每一个家意味着一片令人羡慕的欢笑，他们在上演着各自的欢乐。而我，一个人坐在隔离墙上，只是一个黑影。我不知道我们什么时候会买房，什么时候会有自己的家，我还不能有这样的梦，它像星星一样遥远。

东去西来的车一排排在我的前后呼啸而过，它们飞去，它们飞来，它们的车灯将我的眼睛刺过去，将我的眼睛刺过来。我被车灯包围了，被深圳夜晚的灯火包围了，我在灯火的中央，但我在深圳的边缘，被包围在隔离墙上。

我不知道，什么时候可以进入这个城市的中央，什么时候可以成为深圳的主流人群……但我们既然来了，就必须进去，虽然现在什么都没有，但我们有希望，只要不放弃希望，就会有一切……我坐在隔离墙上，用尽全身力气，扮演着优质的打气筒，拼了老命给自己打气。

那天老哥出差了，我在隔离墙上坐了很久，回到教育学院时，什么也没洗，就直接爬到床上睡了。

那个暑假过完后，我要重回学校。我清楚地记得，当我向老哥挥完手走向火车站台时，心里无比轻松。老哥后来在信中说，我是头也没回地走的。

我当时不喜欢深圳，但我知道自己会来，因为我爱老哥，老哥已经在深圳了，我就得来。我这么想时，有些惆怅，有些无奈，也心存希望，感觉很复杂。

但我完全没想到，10 年以后，有朋友跟我说起深圳的种种不好，问起我的感觉时，我毫不避讳地说："现在如果搞一场'我爱深圳'的演讲比赛，我保证'噔噔噔'跑上讲坛，不打草稿，'唰唰唰'就能拿下个一等奖。"

10 年来，我们到过不少城市，每次从外地回来，火车一进入深圳市区，一看到地王大厦、看到和平路旁栋栋亲切的高楼时，每次都有强烈回到家的感动，总是忍不住大声说："哎呀，还是深圳好啊。"每次从宝安机场回来，车行在高速公路上，看到一座座熟悉的广告牌，看到路两旁扑面而来的花草，我的心里，总有着放飞一般的自由和轻松，有一种被深圳拥抱的感觉，那感觉就像扑入了老哥的怀抱。

我常常感慨，也许没有哪一座城市，能这样宽松地包容我们这些赤贫而充满梦想的孩子。

5. 每次搬家都是坐直升飞机

1998 年，我也毕业分配到深圳以后，我们又搬回了燕南路，是建艺大厦前的那栋单身宿舍，那栋宿舍现在还在。这已经是我们的第四次搬家。

我们每一次搬家都有显著的进步，所以每次都兴高采烈。

第一次住的房间只有约 8 平米，一个星期后，搬到了泥岗路的教育学院，也是“三无”房，但有十多平米了，才一个星期就让居住面积大了两倍，老哥形象地说：“简直是坐直升飞机嘛。”我对他这比喻大为赞赏，以后的每次搬家，我们都笑称“坐直升飞机”。

第三次搬的家还是在教育学院，但多了一个独立的洗手间。想着可以不用再去公共洗手间洗澡，不用在洗澡的时候，听隔壁的男高音歌唱，不用被动地偷听男生们在隔壁的浪笑，我开心得手舞足蹈。

第四次搬家，虽然还是一间房，但已经有阳台，有洗手间，在阳台上可以设置简易厨房做饭了。这当然是飞跃，这样我和老哥就可以一起做饭了，可以搞厨艺大比拼了。

这次搬家时，我们已经得到“前辈”指引：“买家具不要去商场，很贵的，应该去旧货市场，便宜。”

我们得此真传，开心地去了南园路的旧货市场。几百块钱买了个全套：一张一米五的床、绿色的皮沙发，当然是人造革的，还有电视柜——为了迎接香港回归，我们在 1997 年 6 月 29 日买了一台 19 英寸的彩电——总之，该有的全都有了。

我们一起把墙刷白，在墙上贴上老哥在教育学院住时买的塑料名画。这幅名画花了老哥 50 块。老哥买来这幅画时，无比得意，说：“这画多美呀，而且不褪色的，脏了用鸡毛掸子扫掉灰就可以了，还可以用水洗，搬家的时候取下来一卷，轻轻松松就带过去了。”

当全套家具送来，摆放好以后，我大叫起来：“天啦，真像个家！”后来我们一不做二不休，去华强北的万佳百货买了全套一米五的床上用品。这家商场过几年后也没了，当时生意火得很。

配合床和沙发的绿色调，我们选的床上用品也是绿花和绿格子的，非常漂亮。这么一布置，家的氛围变得极其温馨。我环顾着这十来平米的家，无比开怀。

这种感觉就是现在回忆起来，还是一样温暖。尽管现在的家在华侨城，房间是双拼户型，有两百多平方米，是温情的英伦风格。

那个周末，我们兴奋得哪儿都没去。老哥不时地擦擦地板胶、摸摸人造革沙发，那小心翼翼的样子，比今天护理我们的意大利真皮沙发认真多了。我在一米五的床上滚来滚去，把新的床上用品一次又一次地贴到脸上，闭上眼睛，无比陶醉地感受那松松软软的质感。

老哥满足地说："这下，我们算是安定下来了。"

安定下来了的我们，开始居家过着二人世界，努力工作，从容积累。

当时我在一家财经周报社做记者，这份报纸当时在业界很有影响力，也是迄今为止老哥唯一自费订阅的报纸，5块钱一份的报纸能让很多热爱它的读者一连找几个报摊去买。有一次我们在山姆会员店门口做发行推广，一位读者很吃惊地对我们说："这么好的报纸还需要推广？"他当即订了几份，送给他的朋友们，我们感动得差点当场给他做一期"财源人物"。可惜当时我们都不懂得报纸需要像企业那样来经营，所以在亏损几年后，它被改成了别的报纸。

那时我对工作有着变态的热情，常研读《纽约时报》、《美国在线》、日本《经济新闻》和伦敦《泰晤士报》等，俨然要做个全世界一流的财经记者。而老哥除了做好他们银行的法律顾问工作外，时刻准备着出来做律师，开律师事务所，做合伙人。

我们晚饭后常去上步路的四川大厦一带散步，坐在草地上，看着不远处的园中花园，觉得那几栋楼优雅而含蓄，漂亮极了，特别是华灯初上的时候。我无比羡慕地对老哥说："有一天，我们会不会也能买那样的房子呢？"老哥很肯定地说："当然啦，我们是两只勤快的燕子，会不断地衔泥，不断地做窝。总有一天，我们会去那样的地方做窝。”

那时候，我在报社的工资大概3000块钱一个月，交了房租后余下的钱用来安排日常生活，老哥的4500块钱就可以全部存起来。我对老哥开心地说：“两个月就可以成为万元户呢，真是爽！”“是啊，以前觉得万元户那么了不起，没想到现在一不小心就当上了！”老哥赶紧拿出自己的存折，无比得意地凑过来给我看。

后来，当我们手上有10万块钱的时候，我们这两只燕子就开始到处看楼，准备去高楼里筑窝，“密谋”着又一次坐直升飞机。

6. 爸妈差点让我们破产

1999年秋天，当我们把爸妈从机场接到家时，老爸大叹一口气说：“哎，做梦都没想到有今天！”

这确实需要想象力，他们的父辈以及祖先们从来都不曾离开过老家，他们住的房子是从茅屋进化而来的土屋，他们曾经拼了老命，也无法让自己的孩子吃饱。当年他们唯一的愿望就是把9个孩子拉扯大，让他们自己挣到饭吃，并且吃饱。而今天，他们居然坐着飞机，来到了一千多公里以外的海边，看到了六十多层高的房子，他们的儿子在深圳工作了，还娶了媳妇。

那天中午在外面吃完饭，我们带爸妈在附近转了转，他们感叹了好几个小时后，总算适应了这个反差太大的事实。晚上回到家，老妈突然说：“只有一间房，怎么睡呢？”

我们得意地带爸妈看了我们的阳台，在他们来的前几天，我们早就准备好了。

阳台有一米二的宽度，我们去旧货市场买了一张一米一的床，正好放了进去，不过，上床只能从床头爬进去。我们把刚到深圳时买的单人床上用品，从简易的塑料衣柜里拿出来，再次派上用场。然后，去东门布艺批发市场，选了一种非常温馨的粉蓝色花布，批发了一大捆，再用铁丝、夹子，在床四面的墙上、窗户上打好钉子、连好铁丝，围成床帘。顿时，我们的床就成了平民版的“公主”床。

我们让爸妈睡一米五的大床，我们就睡阳台上这张小床。老妈对此很过意不去。最近一次来我们家，她老人家还很感慨地回忆说：“那时候你们多可怜，两个人住那么破的阳台，睡那么小的床，让我们睡你们的大床，我每次想起，心里都过不得。”说着抬起布满干裂痕的手去抹泪。我们每次都笑着反问：“难道让你们睡阳台？”事实上，无论那时还是今日，我们都不觉得那很可怜，而是很温馨。

那天晚上，当我们两个人猫着腰先后爬进平民版的公主床时，感觉重新回到了可爱的童年。我们并排躺在床上，看着四周粉蓝粉蓝的床帘，非常得意，觉得那个小小的世界里弥漫着浪漫和梦幻，而我们的小床，就是小人国里王子和公主的婚床。

正那么开心着时，老爸和老妈突然鼾声四起，我们静听了一会他们的鼾声后，两个人同时一把将毯子拉过头顶，在里面大笑不止。

那两个月，我们每个周末都精心研究最能代表深圳的去处。老哥负责用他不太地道的家乡话解说，我负责后勤。两位老人家一边担心着我们的钱都用完了，一边满心欢喜地享受着他们“做梦都没想到的”一切。

我们白天出去游玩，晚上 4 个人坐在大床上或沙发上，同看一部小电视机。深圳的深秋有点冷了，我每晚一冲完凉，就窝到老哥身上看电视，坐在对面的老妈则顺势把我的光脚抱在胸前，扯开她宽大的衣服包住我的光脚。

对于我们所花的钱，必须在报价时非常自然地砍掉一个零或两个零，否则他们不但不开心，还会难受。在餐馆吃饭如果花掉两百多，就得根据他们的可接受程度，在报告餐费时像拣了大便宜似的说："这家真划算，才三十多块钱。"老妈后来批评说："深圳餐馆的服务什么都好，就是要自己去服务台买单，这一点不如我们县城的餐馆。"我和老哥听了相视一笑。

在买水果上，更是如此。有很多水果，比如车厘子、山竹、布林等，都是当时的湖北老家没有的。我们在报价上一律都按老家的橘子、香蕉等进行处理，单价都在一块、两块不等。他们常常边吃边说："深圳真是好，天气好，环境好，工资又高，物价又便宜。"

不过这种报价，后来差点让我们破产。

两个月以后，爸妈要回家了。在考虑带什么礼物给村子里的人们时，爸妈不约而同地想到了那些又好吃又便宜的水果。他们决定给村里的 7 户人家每家一箱车厘子、一箱布林，他们算了一下，每家要花 20 块钱，但他们说难得我们这么有出息，应该表示一下心意。

一听他们的计划，我和老哥在心里吓了一大跳，以眼睛示意，悄悄拿了计算器，藏进我们平民版的公主床里去算。这些要带回去给乡亲的水果，就算去福田农产品批发市场去批发，最低也需要五千多块。是坦白说出实价，还是咬咬牙买了？我和老哥小声地盘算着。

最后，我们完全按爸妈的意见办了。一是因为他们吃苦一辈子，不容易，难得这一次这么高兴；二是我们发现每个老人家，多少都有点虚荣心，干脆满足一下；三是我们想象着他们跟村里人说着深圳的物价有多便宜，东西有多好时，那个高兴又放心的样子，我们开心。

但后来的事情让我们完全没想到。

过春节时，爸妈打电话来说，乡亲们想要我们多买一些水果托运回去，“费用一块钱一斤也好，两块钱一斤也好，照付”。爸妈回去以后，村里人都知道了原来深圳的水果比老家还便宜，又好吃。

这下我们终于傻眼了，如果还照那样报价，如果每年过年过节都这样托运水果回去，我们绝对要破产了。

我们只好老实交代。

据说，爸妈后来对于我们的虚假报价感叹了一个多月，有难受，有痛惜，也有窝心。

爸妈回去以后，我在办公室整理我们一起拍的照片，准备寄回去。同事们没事拿来看，看到我们的合影，说：“你跟你爸妈还挺像的呢。”我说：“是吗？难道我和老哥真那么有夫妻相？”他们非常吃惊地说：“你一天到晚跟我们说爸妈来了怎么怎么，我们还以为是你自己的爸妈呢。”我说：“我的感觉真的一样。”

我跟同事们说起老妈抱着我的光脚丫看电视的情景，他们很感叹地说：“婆媳关系被认为是人类最复杂的人际关系，你们怎么这么简单呢。”

这么多年来，我每次想着我的光脚丫，轻踏着老妈松弛而热乎的肚皮的感觉，想着那柔软的肚皮，曾经孕育着我的老哥以及另外8个兄弟姐妹，想着她那安详宁静的表情，我的心里常有一种母爱大过天的温暖。我想，不管是婆婆还是自己的亲妈妈，只要都有真正来自心底里的爱，那就真的一样。

事实上，爱我婆婆是件很容易的事，她虽然不识字，但很有文化，虽然没读过书，但世事洞明，在她身上，有着中国传统母亲的一切美德。她吃过很多苦，从来忍辱负重，她生了9个孩子，却从来没有坐过月子，在养育9个孩子的近20年里，她从来没吃饱过，更没有好好上桌吃过一餐饭。

老哥说他小时候半夜醒来上厕所，经常看到老妈用冷水和着剩饭，坐在一堆没完成的农活前，佝偻着背往嘴里猛扒，看样子是饿极了，才想到要吃点晚饭填肚子。我每次想到这个场景，鼻子会发酸，眼睛会湿。同样作为女人，她们那一辈人吃了太多的苦。在那样一个赤贫的年代，要养育那么多儿女，是非常艰难的事。现在好不容易等到儿女们大了，可以接老人家来大城市享点清福的时候，他们又不习惯都市里的生活。我常常很感慨地对他们说："你们养了这么好的一个儿子，自己没享到什么福，福都让我享了。"

这十多年来，每次我给婆婆钱的时候，她总是推脱着说："哎，你们结婚我们都没给过一分钱，你还每次给我那么多钱，钱都被我用光了。"

我总是大笑着说："我们还有很多钱呢，我们在深圳工作一个月，你要辛苦好几年才赚得出来，刨土豆要刨几座山，我们的钱给你们用是最划算的。"

有时，她攥着我给的那些钱，拉着我的手，含着泪说："你们俩可怜呢，在那么远的地方，没有一个人能帮你们，人生地不熟的，吃了很多苦吧，所以总是这么瘦。"——全世界只有两个人认为我瘦，一个是我婆婆，一个是我妈。

我每次听婆婆说着这话，环顾着他们那几间土砖砌成的房子，和房子里十多年没变过的摆设，心里有说不出的难受。我们给她再多钱她都舍不得用，也说服不了两个老人家离开他们的田地和自己养的鸡，我们在这里享受都市里的繁华，他们在清贫的山区为我们担着心，积攒着土鸡土蛋，随时准备着给哪个孩子。

这么多年，我和婆婆没有很多时间在一块相处，但母女之间的那份彼此怜惜，却经常能感觉得到。老哥对此无比欣慰。

事实上，当我对婆婆好的时候，老哥的感觉比我对他自己好更开心、更感激。如果说女人对公婆好需要原因的话，这就是最简单、最直接的原因吧。

7. “谁知道那里面藏着宝呢”

我和老哥师从同一个导师，郭锐教授，他视我们亲如己出。郭老师的大女儿叫郭少宁，我们叫她少宁姐姐。她常被我们尊称为与时俱进的杰出代表，很早就打破铁饭碗，来到深圳闯天下。

1997年，郭老师也来了深圳，到少宁姐姐家过暑假，我们第一时间去看他。在考虑买什么礼物去看郭老师时，我和老哥几乎同时脱口而出：“荔枝！”

那时侯，我们在内地吃不到新鲜荔枝，只能偶尔吃到褐黄色的荔枝干。对新鲜荔枝的向往，却因为背唐宋诗词，早已有之。

我和老哥一到深圳就买来荔枝吃，当时根本不知道吃荔枝会上火，更不知道在吃完荔枝后要喝点盐水，只觉得好吃。我边吃边说：“怪不得人家贵为皇妃都爱吃。”那晶莹剔透的果肉，一口咬下去，满嘴甜汁，就算吐出来的核，都亮晶晶的，格外可爱。我们一口气吃了5斤，感觉真是过瘾。不过对当时的我们来说，荔枝的价格还是有点贵，要好几块钱一斤，我们吃了一次就没敢再买了。

既然是我们的导师来了，再贵都得买来去看他老人家。

我们拎着一大塑料袋荔枝去看郭老师，荔枝红彤彤的，外表虽然疙疙瘩瘩，但里面白白的果肉太有诱惑力了，我忍不住多看了几眼。老哥看我馋成那样，笑着从袋子里揪了一颗下来，说：“吃吧，一颗看不出来。”我急忙吃了，接着也学着他的样，从袋子里揪一颗下来，递给他:“吃吧,一颗看不出来。”他也大笑着吃了,吃完后还咂咂嘴。

我们就这样你一颗我一颗,边偷笑边揪着,边吃边扮着鬼脸,时不时调整一下袋子里的荔枝,把被揪掉的蒂埋在下面,掩盖着“犯罪现场”。各揪了好几颗以后,快到了少宁姐姐家了。我一看到她家那栋楼,失望地说:“今天怎么这么快呢。”老哥看到路旁浓密的灌木,突然灵机一动,说:“妹,我们干脆藏一扎到这树里面吧,反正少一扎,看不出来。”我听了大笑,觉得老哥真是聪明绝顶。

后来我们选了一根电线杆做参照物,我望风,老哥藏荔枝,他偷偷猫着腰藏完后,大叫一声:“快跑呀,快去快回。”我说:“不用,谁知道那里面藏着宝呢。”

到了少宁姐姐家,我们跟郭老师聊了一会儿后,我对郭老师说:“吃荔枝吧。”郭老师似乎对国家时政的兴趣远远胜过好吃的荔枝,他没接话,继续针砭时弊。我本来盘算着,如果他吃,自然也会叫我们吃,那不是大赚了?

等郭老师和老哥聊了一会儿,我还不死心,又说:“郭老师,吃荔枝吧,我们今天给你买的荔枝很新鲜的。”老哥听出我语气里的着急,突然会意,站起身直接去拿我们放在地上的荔枝。这时少宁姐姐说:“荔枝冻一下更好吃,把这些放冰箱吧,我把冰箱里冻的拿出来吃。”我和老哥大喜过望,抿着嘴相视一笑。

冰过的荔枝好吃多了!冰冰的、甜甜的,肉多汁足,一吃到嘴里就变成一个“爽”字!我和老哥贪婪地吃着,谁也不说话。突然又觉得这样吃太不妥了,互相示意着,僵着手指放下荔枝。

那种感觉是痛苦的,明明可以很爽,又不得不顾及着该死的礼节,克制着自己;明明可爱的荔枝就放在眼前,却只能偷偷地咽着口水。我们痛苦地坐了一会儿之后,几乎同时提议“走”。

我和老哥都记挂着那一扎藏在树丛里的荔枝，虽然没有冰过，但吃起来可以无所顾忌。我们快速地走向那根电线杆。

“荔枝不见了！”我大叫一声。老哥赶紧跑过来，细细地拨开灌木搜了两遍：“真的没看到！”我们突然像两个泄了气的皮球，瞬间耷拉下来。我气得要死，有一种小偷好不容易偷来的东西，却被别的小偷轻而易举盗走的感觉。

老哥犹疑地想了一想，突然一抬头，看着电线杆，大笑：“妹，你搞错一根电线杆啦，我看了的，不是这一根！”。他快步跑向最近的那一根电线杆，一弯腰就拎出了荔枝！

我们立即坐在草地上吃起来，那种失而复得的开心、那种狂吃的快感，都让我想就势在草地上打几个滚。老哥吃完后，假扮苏东坡，捋着那不存在的长须，无比满足地点着头说：“不辞长做岭南人啊，夫人意下如何？”

几年以后，我们经常把荔枝一箱一箱搬回家，单位发、朋友送、自己去果场摘，每年都多得吃不完，有的珍稀荔枝还要几十块钱一斤。我们常常吃几颗之后，就不想再吃了。

老哥这时就会说：“藏一扎到树丛里去吧。”

真感谢那时候那么穷，让我们的人生有着不同状态下的享受，真骄傲我们穷得那么有智慧，无论多穷，都有办法宠爱自己，宠爱自己的爱人。

8. “笨蛋，别再拉被子了”

有一个日子曾经让全世界人民兴奋了好几个月——千禧年元

旦。千禧年的概念原本来源于基督教教义,但后来从宗教涵义扩展成为全人类的庆典活动,原本隐含的末世意味也被跨世纪的喜悦所取代。

尽管路透社一再报道说,有三万名黑客已锁定2000年前后利用电脑病毒作怪,很多企业正为Y2K千禧虫问题忙得不可开交,但对绝大多数人来说,虫子留给专业人士去处理,千年等一回的开心理由,不能放过。

谢雨欣的千禧年贺岁曲老早就传唱开了:“千禧的浪漫,终于盼到,我真幸运。两千年,你好吗?都辛苦了,我给大家拜年了,我们一起许一个美丽的愿望……”

媒体连篇累牍地推出有关千禧年话题的系列报道,有的报纸还别出心裁地开辟“千禧年把爱说出口”专栏。各类千禧年音乐会、千禧年庆典活动的资讯漫天飞舞,拼命激活着人们的神经。

商家拼了老命来抓这千年一遇的商机,各种千禧年纪念品、千禧年优惠、千禧年旅行线路铺天盖地而来,疯子才能保证不遭受他们的“厚爱”。

到了12月中旬,几乎人人见了面都问:“怎么过?”、“怎么迎接千禧年?”

“我们怎么过?”老哥也忍不住了。“笨笨和孟子过来和我们一起过。”“啊?那你赶紧策划呀。”

笨笨是我读大学以来的死党,我俩一起干过的坏事可以写一本30万字的全集,那些只有我俩才创造得出的开心故事,简直要用箩筐来装。那时候她装模作样地帮我考察老哥,不知道蹭掉我们多少饭,做了多少回可恶的电灯泡!

不过这也使得老哥和她的关系简直就像我和她一样,我们称呼她要么是"笨蛋",要么是"土人",比较正式点时,就叫她的小名"笨笨",因为小时候小名叫得好,长大后这家伙聪明得一塌糊涂。研究生毕业后,她在广州工作。

孟子是笨笨的老公,超级可爱,可以信口列举的优点有N条。基于笨笨和老哥的热乎劲,我们俩常常拼命地互道倾慕,以达到交叉平衡的效果。

"早就策划好了,我们去深圳东部,迎接新千年的第一缕曙光!"

那时候我去过的深圳最东头是溪冲,那里有个工人度假村,我曾去住过。笨笨宣布他们要来的当天我就订好了房。

12月31日,所有的人心里都开始倒计时,所有有大钟的广场都准备好了在那历史性的时刻,万人齐喊"五、四、三、二、一"。我们一边准备着此行的用品,一边急切地等着笨笨他们从广州过来。

这两个死家伙直到下午4点才来,我们在火车站一接到他们就直往东部冲。当时老哥才刚学会开车,跟朋友借了辆已经用了10年的小型货车——皮卡,跌跌撞撞地前行。这辆濒临报废的小皮卡是手波,在红灯路口一停,再启动时,总是熄火,这时新手老哥就边唱歌边流汗(他一紧张就这样),我则把半个身子探出窗外,冲后面的车队狂扮鬼脸,以分散司机大佬的注意力,让他们喇叭留情。

一路熄火地开到溪冲,老哥一拔了车钥匙,跳下车来,冲着轮胎就是一脚:"拖拉机!"我们狂笑不止。

三下五除二换好泳衣后,我们扑向海滩。这可是二十世纪最后的夕阳,最后的大海!我们争分夺秒地畅游着。

晚饭后,把房间里的床罩铺在沙滩上,4个人坐在上面,同盖一床被子,面对满天星斗和茫茫大海,胡吹海侃。海风迎面而来,远远近近放烟花迎新年的几个小孩,急不可耐地预演着璀璨星光,感觉真是爽呆了。

“他们怎么知道我想看烟花呢，帮我们买，帮我们放，我们只用像老佛爷似的坐在这里看？”老哥自作多情地占着便宜。我们原本也想买烟花的，但太贵，放弃了。

“孟子，你牵的是我的手！”我大叫一声，把他们3个吓了一跳，随即一齐大笑起来。孟子本来是要牵笨笨的手的，因为窝在一个被窝里，挨得很近，结果错牵了我的手。

“老哥，你得牵一下笨笨的手，要不咱家吃大亏了。”一听这话，笨笨立即把双手从被窝里抽出来，孟子条件反射似的一把捧住，老哥则大笑：“你这个坏人！”我盯住他们3个的表情，无比得意。

临近12点，我们赶紧撤了。回到房间去！中央台有文艺晚会，在世纪之交要转播世纪坛上的钟声，为全国人民祈福。我们要点满一屋子蜡烛，开好香槟，和着世纪的钟声许超级大愿！

我把5斤重的特价香槟拿出来时，笨笨开心得手舞足蹈。我们俩捂住耳朵，眯着眼睛远远地站在门口看他们开香槟，非常担心泡沫和气体把房顶冲个大洞。“你们俩准备好没有？准备好没有？开了啊！”两个坏人拼命制造着紧张气氛。我和笨笨则像小时候第一次放冲天炮一样，吓得弯腰勾背缩成一团，只敢拿眼斜瞅过去。

“啵”，轻轻一声，香槟开了，既没有气冲房顶，也没有泡沫四溢，只有一些小泡沫从瓶口慢涌出来。“怎么回事？”“怎么回事？”都是第一次买香槟，第一次开香槟，谁也不知道怎么回事，我们笑着，没有答案。

许完愿，喝过香槟，接完许多通千禧年祝福电话后，我们急忙排队洗漱准备睡觉，5个小时之后，就要迎接新千年的第一轮太阳，5点半就得起床看日出呢。

干嘛排队洗漱？嘿嘿，因为我们4个睡一个房间！虽然那时我们到深圳已两年多，告别了吃“5 块钱的美味佳肴”的光荣年代，但自掏腰包出来度假，还是第一回如此奢侈，老实说，还订不起两个房。

“一晚上要三百多？拜托，最多订一个房间！刚好有两张床呀，你真是英明。”笨笨大肆表扬着我——“年幼无知”的她当时还不知道最便宜的标准房是两张床。

上床之后，我们心照不宣地开着那盏床头灯，以昭示自己绝不干坏事。

分别躺下后，老哥握着我的手，在手心直捣蛋，我只好拼命咬住牙关，不笑出声来。看笨笨和孟子在那张床上睡得悄没声息，我在老哥耳边说：“他们一点邪念都没有呢。”“你怎么知道？”老哥很不服气。

闹钟一响，我们就手忙脚乱地奔向事先踩好的日出观察点——现在的万科十七英里所在地。当时沿着金海滩花园下去，有很美的山体和巨大的礁石。站在山坡上，可以一览无余地欣赏海上日出。

当被人类赋予极其特殊意义的新千年太阳，在我们的惺忪睡眼中如期升起的时候，我们和众多摄影发烧友对着它狂拍，然后 4 个人在大礁石上扮演原始人初次见日，猛跳太阳舞，以庆祝新千年的到来。

一直 high 到 11 点半，才退了房坐着呼哧呼哧的“拖拉机”回到市内。

一不小心鬼混到晚上，怎么睡呢？这个问题随着新千年的第一个夜幕悄然而至。我们当时还住在燕南路的单身公寓，只有一张床，爸妈回去后，阳台上那张小床又卖回给旧货市场了。

“这样，我们 3 个睡床上，横着睡，孟子睡沙发，应该刚好够长，试试看？”笨笨此言一出，我们 3 个人立即大声叫好，觉得她简直有总设计师的谋略。

一米五的床横着睡不够长，我们就把吃饭用的折叠椅拿来搁脚，为了隔绝笨笨和老哥之间的直接亲密联系，我扮演绝缘体，睡中间，他们两个分别挨着我的左膀和右臂。

并排躺了一会儿，我刚想翻个身对着老哥，笨笨立即大叫起来："哎，反过去，对着我！"正要侧身照办，老哥拼命扳住我的肩膀："不许翻，哪有这样重友轻色的？"

"好啦，好啦，我平躺行了吧。"我拿他们没办法，只好平躺着，手被一人牵一只。

"别吵啦，排排躺，睡觉觉。"孟子喜欢睡觉，一个人独享沙发，恨不得立即钻进梦里。

我们乖乖安静下来，只敢扭扭头、捏捏手，互相扮扮夸张的鬼脸示意。那种感觉就是小时候过家家，或是在幼儿园睡午觉，天真、顽皮而纯净。

睡到半夜，我突然感觉身上的被子被横向拉来扯去，较量在逐渐升级。我没作声，窃笑，嘿嘿，反正我总有被子盖，再说呢，一边是老哥，一边是最好的女友，这案子可不好判。

"笨蛋，别再拉被子了！"笨笨终于忍不住大叫起来。老哥一听，立即投诉："你简直是恶人先告状，孟子，看你们家笨笨，我都完全没得盖了。"

"啊，我没听见啊，笨笨，他没冻着你吧。"孟子独占一床被子，开心得很，边伸懒腰边护内，把老哥气了个半死。

笨笨和孟子回去以后，我算了一下那3天的花费，将近1000块，老哥说："是我们一个月的生活费呢，不过我们4个人玩得多开心呀，这也像迎接千禧年，是历史性的，说明我们已经有能力度假了，里程碑呢，嘿嘿。"

第二章　骗婚记

我是被人骗婚的，婚宴是一盆 32 块钱的乌江活鱼。

老哥说："蜜月就是甜蜜的岁月嘛，我们天天都有爱，所以天天都在度蜜月啊。"他的结论是——到家里过蜜月就好了，哪里还要专门出去度蜜月！

1. 懒懒的语气里有阴谋

那是 1998 年 9 月初，我毕业分配到深圳才一个多月，有一天，老哥懒懒地对我说：“妹，现在你也分配过来了，我们得考虑一下买房子的事了，有房才有家的感觉，买了房才算是真正的深圳人。”

我说：“哦。”回答这么简短是因为我不知道要说什么，我刚来深圳工作，对深圳可以说一无所知，所考虑的是怎样尽快胜任工作，买房这么的大事，我还没想过。

老哥看我迷糊，接着说：“你知道吗，在深圳，有一种叫福利房，是专门分配给公务员、老师的，很便宜，但我们不符合条件。还有一种是微利房，有深圳户口的人都可以申请，比福利房贵，但比商品房便宜多了。”

我一听，来了兴趣，说：“那我们不是可以吗？”

老哥很平淡地解释说：“谁都想要的，所以要排队，先排到先得。”我不解：“那我们也赶紧排去呀。”

老哥还是很平淡：“排队要证的。”

我很纳闷：“证？什么证？”

老哥完全没感觉地说：“结婚证嘛，得尽快去办了。”

我轻轻“啊”了一声说：“那我不是要和你结婚了？”

老哥头也不抬地说：“我们早就结婚了，我们早就‘那个’了啊，现在只是去办个手续，领个证而已，好排队买房。”他整个一去银行办张卡的感觉，还是为公家办卡的那种。这是为我们俩买房，这么重大的理由，从他嘴里说出来好像只是叫我去办件小事而已。

我有点失望地说：“可是我原来是想要到教堂去结婚的。”我像许多女人一样，从少女时期就一直梦想着和自己心爱的人，一起站在神父的面前，当着所有亲朋好友的面，庄严神圣地说出“我愿意”三个字，我认为只有那样，一生的爱情才算是有了着落。

听我说想去教堂结婚，老哥飞快地说：“去教堂只是一种仪式，我们以后可以补嘛。先去排队买房要紧。”停了一小会儿，他又赶紧说：“我打听过办证的程序了，你明天去报社打个证明，证明我等下写好，你只要找领导盖个章就可以了。然后我们请一天假，去把这事办了。”

然后他从包里拿出一张纸来递给我，上面打印了办理结婚证的程序，他看上去有点厌烦地说：“真麻烦，形式主义。”

我当时完全不知道他那种淡淡的、懒懒的语气里所蕴藏的阴谋，后来再仔细回想这一段对话时，发现他的奸诈在于，把结婚这么重大的事，淡化得如同只是要我去银行办张卡。而且，在整个“骗婚”过程中，他都极力避免提到“结婚”这个字眼，一直学法律的他，完全刻意地混淆了“结婚”和“那个”的含义。

最后，关于我神圣的婚姻，我只是在日期上做了一点主。我选了那一年的阳历10月12日，即阴历的9月22日，作为我们去“办那事”的日期。我用我的方式看了个日子，10月12日，就是1012，意思是“要您要爱”，而9月22日，即“久爱，爱”。当我把那个日子及解释告诉老哥时，他压抑着心底的狂喜说：“妹，你真可爱。”

一年以后，老哥一个也分配到深圳的同学来我们家玩，说起排队买微利房的事，老哥说：“微利房都很小的，而且位置又偏，我从来没有想过买微利房，要买就买商品房。”我当时正在阳台做饭，听完这话立即冲到他面前，狠狠地指着他的鼻子说：“好啊，你这个骗子！”他那同学听了一头雾水，而这个被我识破了诡计的骗子，只是吐了一下他那狡猾的舌头，笑着问我："妹，饭好了没？"

等他那同学走了以后，我一把把他推到床上，猛地坐到他肚子上，掐住他的脖子说："说！你为什么骗我？"他抱住我大喊："救命啊，谋害亲夫呀——"

他后来交代动机说："你那么优秀，深圳优秀男人那么多，你要被别人抢走了，我怎么办？所以第一要紧的就是，趁敌人还没下手，先把你拿下，免得一天到晚担惊受怕。"

这个骗局后来一再遭到我的清算，我每次提到这事时，老哥总是一副得逞的样子，他有时说："嘿嘿，幸福的陷阱嘛。"

去年，我一个忘年交闺密杨杨的父母来深圳了，专门到我们家来拜托我们为她找男朋友，我们立即来了个现场办公，搜索脑海中的适合人选。但最终，一个晚上也没有找到一个可嫁人选。他们走的时候，老哥得意地说："早知道深圳女人与男人的比例是七比一，早知道优秀的男人那么难找，我当初就不用煞费苦心了，哼，让你嫁不出去。"

不过我后来发现老哥对"结婚"也是真的没概念。有一次我在某种情境里感慨地说："我们俩为什么这么好呢？"老哥牛头不对马嘴地说："因为我们没结婚嘛。"我大笑："切！"

他接着很认真地说："真的，我从来没有那种结了婚的感觉。我不像有的男人，一结完婚就放了心，老婆娶回家了，觉得这个老婆就是我的了。我一直都很紧张的，我觉得要是对你不好，你就会被别人抢去，所以十多年来我一直没结婚。"

听完老哥这话，我突然明白，不管是骗来的婚姻，还是求来的婚姻，最好的状态就是像没有结婚。

2. 领证当日

当我拿着老哥打印的未婚证明,来到报社找老总盖章时,报社一片哗然,一个个不敢相信地说:“怎么,你就结婚?”“才到深圳就结婚了?”“完了,我们白组织进攻梯队了。”我们部门的头儿老楚很善意地提醒我:“你确认了没有?”

看到他们那么惊讶,我才知道领证这事其实很严重。但是我已经答应老哥了,怎么办呢?最重要的是,就像老哥说的,我们已经“那个”了,还有什么好说的呢?我在内心暗自打架子鼓。

不过一想到那些还没进攻就鸣锣收兵的“进攻梯队”,我膨胀的虚荣心就狂受不了,本来那么多人准备追我的,现在都没了,这损失,大了去了。

我又突然想起,老哥其实都没向我求婚的,没有玫瑰,没有单膝跪地,没有钻石戒指,一切应该有的浪漫都没有,而且那句“那我不是要和你结婚了?”的话,还是先出自我的口,我气恼得不行,边写着稿,边把电脑键盘敲得噼里啪啦乱响。一整天,都在莫名的烦躁中度过。

那天晚上,我把盖了章的未婚证明给老哥时,很不平衡地说了“进攻梯队”的事,并极尽夸张之能事,把假想中的“进攻梯队”,一个个描述成超酷超帅的世界级巨星。老哥一直静静地笑着听我神吹,等我终于发泄完后,悠悠然站起来说:“妹,你知道吗?一辈子被一个人爱着,才是最幸福的,你这辈子有我一个人爱你就可以了,别人爱不爱你,无所谓的。”然后他使劲地抱了抱我,力气比平时大了很多,我那颗七上八下的虚荣心,总算获得了些许安慰。

走完所有既定的程序,1998 年 10 月 12 日下班前,我们拿到了结婚证，真的办完了“那事”。

回到家，老哥说：“我们去庆祝一下，去吃乌江活鱼吧。”那时候在桑达工业区里，有一条和燕南路垂直的小巷，有好几家乌江活鱼店，典型的排档，都是将整条鱼用酸菜、红辣椒或青辣椒煮好，用一个脸盆大的铝盆端上来，连汤带水一大盆，味道比较鲜，我们偶尔去吃。

我们选了一家，坐下来，点了酸菜鱼，等着。

我坐的塑料椅子是绿色的，老哥坐的正好是粉红，我突然想起一个词，“红男绿女”，忍不住笑了。酸菜鱼端到桌上时，桌子有点摇晃，老哥把桌子移了个位，在地上捡了几块硬纸板，塞到桌子的两只脚下，桌子不摇晃了，我们开始吃。

这一场只有我们两个人的庆祝婚宴，老哥慷慨地花去了人民币32元。

吃完乌江活鱼，我提议去老片坊坐坐。我心想既然是结婚这么重大的日子，好歹得浪漫一下留点记忆。老片坊离我们吃乌江活鱼的地方只有十来米，是一家西餐咖啡厅，特点是可以听到很老的唱片。

那天是我们第一次去老片坊，也是我们到深圳后第一次去西餐厅。我忘了当时放的什么音乐，只记得灯光比较暗，是粉红色调的。我点了一杯橙汁，老哥点了一杯咖啡。

橙汁送上来时，我喝了一口，嘴里居然喝到了一颗核。我跟服务员说：“橙汁里怎么还有核呢？”服务员一听，把它端下去了，过一会儿再送上来时，我又喝了一口，整颗的核没有了，而是被打碎在橙汁里了，我感觉满嘴都是渣。我把这感觉告诉老哥后，强按捺住心中的不快，对老哥说：“我们走吧。”

于是在这个值得纪念的日子，我喝到了全世界最难喝的橙汁，我们在老片坊仅仅呆了十来分钟，就回到了家。

洗完澡后，我们穿上了为各自准备的结婚礼物，一人一套睡衣。

这是我们商量着在岁宝百货一起买的，是我的主意，寓意是我们结了婚，从此就要睡到一块了，结婚就相当于从此给对方买了件睡衣。现在想来，这解释真是牵强。

我给老哥买了一套全棉的长衣长裤，上面有狗狗 BOBO 的图案，我们后来称 BOBO 衣，BOBO 衣质量非常好，9 年后的今天老哥还在穿，一点没有要坏的迹象。每次当我大笑着说起这长寿睡衣时，老哥总是扯扯他的 BOBO 衣，骄傲地说："98 年才买的，结婚礼物呢。"

老哥给我买的是真丝睡衣，上面有我最喜爱的玫瑰图案，但真丝太娇贵，第二年就不成样子了，我只好把它作为珍贵文物，珍藏在衣柜里。

穿上结婚礼物后，我们打开了那盏一直钟爱的台灯，在柔美的灯光里，用 VCD 机放了一张音乐碟，在我们家好不容易空出来的三四平米的地板上，不太有节奏地跳了一支舞，我的光脚踩在老哥的脚上，脸贴着彼此的脸，我们抱着，一齐摇动，感受着彼此。

那一刻，我觉得那天真是我大喜的日子。

3. "到家里过蜜月就好了"

领证后的第二天，当我们一人拎一大袋喜糖去各自单位发完后，我们的婚姻大事也就圆满地宣告结束。

没有婚假，没有蜜月，没有婚纱摄影，一直到现在，也没有某人情急之下所承诺的，去教堂"补"仪式，而是完全继承了我党革命时期的优良传统，取消了任何"腐败堕落"的形式，用最最庄严的法律的形式宣告了我们从此“合法”。

不过，对于这些，我们的新郎自有谬论：

“对我们来说，结不结婚都一样的，不过领执照要紧啊，咱们可是学法律的，哪能干那违法的事？嘿嘿。”

“我们肯定要拍婚纱照的，等到钻石婚的时候再拍，要不然哪天不相爱了，婚纱照就变成伤心照，怎么看怎么伤心，你又是那么感性的人，多惨啊。”

“蜜月嘛，就是甜蜜的岁月啊，我们天天都有爱，所以我们天天都在度蜜月啊，到家里过蜜月就好了，哪里还要专门出去度蜜月！”

现在回忆起来，觉得那家伙真是个偷换概念的高手，而且超级顽固，采取谎言重复千遍的策略，把我这刚出校门的纯情女生硬生生给洗了脑。

不过，每当我看到路上行驶的绵延婚车、看到各类电影电视里的浪漫婚礼场面，还是会情不自禁地伸出魔爪，把某人拧得“哇哇”大叫，我总在心里幻想着，没准有一天，某人会屈服于我的二指禅，把蜜月、自拍婚纱摄影一次补过。

不过当时的我，当然没敢指望“专门出去度蜜月”，我还在试用期，哪好意思请婚假？我们所有的积蓄加起来也就几千块，怎么可能一次就挥霍掉？只是作为小女人的我，突然稀里糊涂把自己给嫁了，没捞到任何“好处”，当然是要偶尔闹一闹的，虽然明知无效。

后来的日子，真像某人所说，结了婚像没结婚一样，两个人只在平常的日子里，找一些小机会疼爱对方，在家过着蜜月。

记得那年年底，各单位忙着吃年饭了。我们报社和老哥他们银行刚好安排在同一天晚上，只是在不同的酒楼聚餐。吃到八点半的时候，快接近尾声，我急忙先溜了。

那天晚上，下着雨，天有点冷，我很想早点回家，打开温暖的台灯，放好音乐，等老哥回来。我希望为他开门，让他一回到家就看到我，看到温暖的灯光。

我气喘吁吁跑回家，正准备掏出钥匙开门，突然发现里面有灯光，老哥居然比我先回。我边敲门边扶着门框大口喘气，他一听到敲门，应声说："正准备打电话问你什么时候回呢。"他一打开门见我大喘粗气，忙问我怎么了，我边喘边说："我想先回来等你的，一路跑，结果还是比你迟。"

老哥顿时很得意："哼，想跟我比，也不看看谁的腿长？本人也正想得第一呢。奖品是什么啊？"我听了非常吃惊，心想怎么连这样的想法都一模一样呢，毫不吝啬地奖了他一个吻后，老哥继续说："天气这么冷，一打开门，里面黑乎乎的，我怕你哭嘛，所以还是先回来等你比较好。"我听了心里非常感动，那样的默契，那样的宠爱，那样的温暖，当然是婚纱照拍不出来的。

有一次，老哥去兰州出差了。他还没回深圳，我又要出差了。我不能去接他，也不能在家等他回来，为此很难过。

后来，我突然想到一个主意。

我找出几张A3的白纸、毛笔、墨汁，用可爱的童体字写下3张大字报。字写得很大，还画了顽皮的笑脸。

我把"我的哥哥回来啦，哈哈哈……"贴在一打开门就看得到的墙上，我要让他惊讶得嘴巴可以放进一个鸡蛋。他一放下包就会去洗手间洗手的，我把"哥哥回来啦，哈哈"贴在洗手间的墙上，要让他边洗脸边开心，洗掉周身的疲劳。洗完手后，他肯定一屁股坐到沙发上，沙发不正对着电视机吗，我把"哥哥，我爱你！"贴在电视机上，我要让他舒服地靠在沙发上傻笑。

做完这一系列准备活动，我看着自己的杰作，想象着老哥回来时的惊喜，一个人坐在沙发上自顾自地傻笑起来。我无比得意，有一种小女人办了件大事的感觉。嘿嘿，美死你！

后来我问老哥那次回到家的感觉，他说："我一打开门，觉得满屋子都是你的笑声。后来又看到洗手间和电视机上的字，一个人坐在沙发上想了很久，是什么让你这么爱我呢。"我用手指刮了一下他的鼻子，说："是你啊。"老哥就势抱住我说："不对，是上帝，我其实没有那么可爱，真的。"

后来这几张纸一直贴在我们家的墙上，当时每一个到我们家来的人都很喜欢这个故事，为这件小事唏嘘感叹。今年，当我说要把我们的平常小事写成书时，闺密灿灿立即反应："你要把'我的哥哥回来了，哈哈哈'写进去啊"。

我们再搬家时，老哥小心地把那3幅作品撕了下来，说："得把你这辈子最好的书法作品裱起来，装框，挂在中堂，传之子孙后代，让他们知道他们的老祖宗是怎么相爱的。"

但后来这书法作品一直没裱，只是用盒子装着，和我们当年的情书放在一起，放在书柜的最底层。我问老哥为什么放在最下面，他说："万一发生什么火灾、地震之类的，好拿了这些就逃，所以要放到能最快找到的地方。"

照顾彼此的感受，宠爱彼此的心灵，不花一分钱就乐翻对方，这就是我们的蜜月，在家过的蜜月。

第三章　公主驾到

我们一直私下叫她“公主”，贝贝也常以公主自居。

有一天她突然伤心地哭了：“我知道了，我不是真正的公主，爸爸不是国王，妈妈也不是王后，我们国家根本没有公主。”

我和老哥面面相觑，快速反应后说：“你是我们家的公主，我们的家是天堂，天堂那么美，当然要有公主啊。”公主笑了。

1. 在那样的美好中，当然应该做点什么

2000年初，当我和老哥合计着手中的钱，发现居然有了好几万块时，我们所想到的最好的犒劳自己的办法，就是春节一起去旅游。

找来深广两地报纸旅游广告研究好几天后，我们选定了当时刚开发的路线，探险之旅——四川海螺沟。由于深圳团都是豪华团，团费要四千多，而广州有普通团，只要三千多，同样的线路，两个人可以省一千块，我们几乎是毫不犹豫地选择在广州参团。至于豪不豪华，对于第一次有机会郑重其事地旅游的我们来说，完全不在考虑之列。

后来发现这是一项无比英明的决定——我们有史以来被成功地卖了一回猪仔：报普通团的只有我和老哥，旅行社不得不将我们卖给其他豪华团，一样的线路，一样的待遇！哈哈，老天真是厚待穷人啊。

尽管在豪华团里，我们这两个普通分子一再遭到其他豪华分子的歧视，他们没有多交钱，但我们少交了钱，这让他们心里极不平衡，不断地用粤语问导游："为什么他们普通团跟我们豪华团吃的一样，睡的一样？"

我和老哥奉行听不懂粤语和看不见白眼的政策，笑得很响，玩得很high。我们清楚地知道，如果我们占了便宜，那也不是豪华分子的，最多只是让旅行社少赚了点而已，我们不欠他们。当然也不需要跟那些豪华分子去理论，穷人一定要想办法多快活。

后来，这场探险之旅并无险情，只有温情。破天荒地，那次的旅行是我整理的行装，我继承以往"马大哈"的传统，少带了一样东西，结果多出了一个贝贝。

这次海螺沟探险之旅，随处可见被雪压垮的树和被雪乐坏了的我们。

那几天，我们在海拔几千米高的雪地里打滚、堆雪人，我在结着厚厚的冰的湖面写了几十个“哥哥”，开心得忘乎所以，完全没有感受到那欢乐的笑声里所蕴涵的生命气息。

那一天，我们整个下午都泡在热气腾腾的露天温泉里。海拔几千米的海螺沟半山上，在山与山的接口，奇迹般地涌出一股温泉，当地人顺着这股温泉挖了梯田一样的池子，用小鹅卵石砌成温泉池。时间一久，矿泉水里某些物质起了化学反应，温泉池边钙化得疙疙瘩瘩，上面还长满了青苔，原始如海螺沟的丛林。

那样的雪山温泉已经够稀罕的了，更何况温泉上空还飘着雪花呢！我们泡在有些烫人的温泉池里，兴奋得像第一次看到大海的孩子，一个个张开嘴巴去接飘然而至的雪花。老哥有时淘气地向天空泼着温泉水，让雪花在扑向温泉前，先融化成水，有时又突然改向，往我身上泼。

我们仰卧在温泉池里，让雪花随意亲吻被温泉水泡成粉红的皮肤，无限感慨地看着四周，享受那个梦幻一般的世界。

远远近近的雪山、白雪覆盖的松树、热气腾腾的雪山温泉、穿着泳装嬉闹的我们，哪怕是现在回忆这一切，还是感觉不可思议。

傍晚，我们从白雪皑皑的山上回到摩西镇的温泉酒店时，酒店里的暖气又把我们带入另一个温暖的世界。

在那样暖融融的氛围中，在那样美好的心情里，人类当然应该做点什么。

我现在还清楚地记得，那一晚我半夜醒来，发现房间灯火通明，洗手间、房间的各类灯，都没来得及关，老哥的脸，甜美如熟睡的孩子。

我突然想看看窗外，光着脚丫走到窗前，拉开窗帘，看到窗玻璃由于温差太大，完全模糊成了毛玻璃。我一口一口哈着气，把玻璃擦开来一小块，再往外张望时，被眼前的美惊呆了，大朵大朵的雪花密密麻麻地涌向厚厚的雪地，雪地的反光把山峦、树木映照得清晰又朦胧，山的剪影和松林的轮廓，互相映衬着……整个世界，静谧，安详，唯美。

我凝神站在窗前贪婪地看了很久，一直到脚发麻，才无比愉悦地爬进老哥的臂弯，继续入梦。

后来才知道，就在那样的美好中，我们的贝贝，产生了。

2. “李语晨”所传递的是爱

当验孕试纸透露有了贝贝时，完全没有准备的我大叫一声：“完了！”老哥也边笑边说：“完了，完了，得准备钱了。”他紧接着推算起来："哈，咱们孩子以后填写籍贯，要写四川省甘孜州泸定县摩西镇呢。"

我马上想起那一晚，对贝贝产生时的各种美好，记忆深刻。我在心底里希望着，在那样的纯美中产生的贝贝，一定也要美好。

接下来当然有事了，为了迎接贝贝的到来，我们把家从只有一间房的燕南路单身公寓，搬到了华侨城欢乐谷旁边的荔枝苑。

这是我们的第五次搬家，虽然还是租的房子，但已经是三房两厅了。我们相信，华侨城的鸟语花香，长满胡子的老榕树，老榕树下下着棋的老人和孩子，都能孕育贝贝的美好。

我们买来一大堆有关准妈妈的营养、健康的书、有关胎教的书和碟，潜心研究起来。在当时看来，有了孩子，这可是天大的事。

书上说，爸妈要和肚子里的孩子多说话，我们就商量说那得给它起个名字，要不然它还以为是跟别人说话呢。老哥有时叫我"宝宝"，所以就给孩子先起个小名叫"贝贝"。

不过我们跟那时的贝贝说话总觉得挺搞笑，有时根本想不起来要说什么，好不容易说一两句，又觉得她肯定听不懂，得从头解释起。特别是老哥，总是喊完那句："贝贝，我是爸爸呢"，就没词了，半天也想不出下一句来。

我后来跟 4 岁时的贝贝说起这事，贝贝听了嘟着小嘴说："我本来睡着了，被爸爸大声叫醒来，又不说话，我在肚子里都急死了，恨不得出来打爸爸一顿。"我们狂笑。

在怀贝贝的这段非常时期，我们一切听从书的教诲，碰到各类书上相冲突的，就请教"过来人"。但是，"过来人"的说法也常常矛盾，报社一位大姐对我说："你多吃馒头，我那时候最爱吃馒头了，一天吃几个，现在我儿子身体特结实、特棒。"而另一位大姐则说："一定要多吃水果、多喝孕妇奶粉，那些米饭呀、馒头之类的主食，要少吃，光占肚子没什么营养。”

在那样互相矛盾的资讯中，我们无所适从，后来干脆采取随心所欲的政策，对于热心的大姐、阿姨们的各类忠告，只是兼收并蓄地表示感谢，并不太往心里去。

心态调整过来后，我就很享受准妈妈的特殊身份了，并且日渐“母凭子贵”。老哥到现在还常常嘲笑我：“从来没见过像你这么骄傲的大肚婆。”

报社同事有什么好吃的，全往我办公室输送，我的办公桌俨然成了物流配送中心食品仓库。我们办公室有一张三人座的皮沙发，每次午饭后都成为大家哄抢的对象，自从宣告我有了贝贝后，所有的人都自觉为我保留。

有一次我去远一点的地方吃午饭，比较晚才回来，看到一位大哥正在上面鼾声四起。我刚和别的同事说两句什么，他迷迷糊糊起来了，抱着自己的毯子，眯缝着眼睛摇晃着走向办公桌，嘴里咕哝着：“以为你不回来了呢，去睡吧，去睡吧”，然后趴到自己的桌上继续打起鼾来。

那一刻我突然想起了我的爸爸、我的大哥，在我的记忆中，他们也曾给过我那么亲切的感觉。我睡在带着他体温的沙发上，心里无限温暖：“这样的报社真好，这样的同事多好啊，谁说深圳是沙漠呢？”

3个月不到，我就迫不及待地穿上了早已准备好的妈妈服，腆着还不太有内容的肚子走路。那几个月我要求老哥拍的照片，也比任何时候都频繁，比任何时候都刻意。我一心要好好记录这段我生命中特别的日子，要纪念这个一点点隆起的大肚子，要让贝贝知道她是怎样一点点长大的。

就在那样的静谧、安详、唯美中，我们的贝贝，产生了。

我享受着自己越来越大的肚子和越来越圆的脸盘，仿佛自己孕育的是一个世界，而不是每一个母亲都孕育过的孩子。

当贝贝没有任何悬念地顺利降临到这个世界时，我开始正儿八经地办起了一件件大事，比如起名字。那时候老哥还在银行上班，工作比较忙，而我则休着幸福的产假，于是他把这个重大的任务交给了我。

我把老哥当年写给我的情书搬出来，找到第一次向我表白的那一封。仔细读过那 3 页纸的信以后，我闭着眼睛，凝神用食指点了其中的任意 10 个字，有“信、之、晨、冰、语、雨、欣、言、楚、心”把它们写在一张纸上，然后进行任意组合，最终选定了“语晨”两个字。

老哥给我写那封有历史纪念意义的情书，是在早晨的五点多钟，他一夜的相思无眠之后，一跃而起，听着校园里小鸟的欢叫写下了这封信。正好，6 年后贝贝的出生，也是在清晨。“语”，就是“发言”，

我在结着厚厚的冰的湖面上，写了几十个“哥哥”。

就是“说话”，“语晨”即表示一个新的生命，在这个早晨开始说话了。我后来才知道，“晨”在古汉语象形文字中，是初升的太阳照耀着一条龙的意思，正好贝贝2000年出生，属龙。意境顿时变得很美了：一个美丽的早晨，灿烂的阳光普照万物，至尊的龙要说话了！

跟我臭味相投十多年的老友笨笨，见证了这个起名字的全过程，我们俩满心欢喜，觉得这个名字和起名字的过程，都非常特别。名字对于每个人来说，都很重要，我们通过这名字传递的，只有一个字，那就是爱。将来如果贝贝问我为什么给她起名“语晨”，我会给她在爱的氛围里，讲一个饱满的爱情故事。

我要告诉她，她的诞生，来源于一个悠长的爱情故事，来源于一份浓浓的爱。

3. 胎毛笔上刻着两个字

贝贝出生后，当制作胎毛笔的公司找上门来时，我眼前立即浮现的场景是：在一个盛大的结婚典礼上，我，作为贝贝的母亲，我当着众多亲友的面，把一支来自母体的胎毛笔，郑重地交给一位绅士，然后说一番隆重的话，给出一份庄严的爱，让他把贝贝百般珍视。

老哥嘲笑了一番我的形式主义后，同意了。我们非常认真地挑选了一支笔杆为象牙的胎毛笔，经过深思熟虑后，让他们在笔上用微雕，刻下了以下文字：

贝贝：

心爱的孩子！

爸妈浓情走过6年之后，在一个纯美的冰雪世界开始有了

你，华侨城清晨的鸟语和夜晚的花香伴着你一点点长大。妈妈的盈盈浅笑、爸爸半天想出一句的话语，与你一起胎动，直到 2000 年 10 月 24 日，你来到爸妈温暖的手心。

贝贝，你的产生是因为爱和美，爸妈唯愿你的一生充满爱和美，也希望你无论什么时候，心中都有爱、有美。

我和老哥想通过这支胎毛笔，向贝贝庄重地传达两个字："爱"和"美"。在我们看来，一个女人，如果懂得了这两个字，也就明白了幸福。

我们想告诉贝贝，如果懂得爱自己，爱自己的爱人、亲人、朋友，并且能自由地表达自己的爱，同时，也能充分感受到别人的爱，这，就是幸福之源。

我们想告诉贝贝，如果懂得让自己的外在尽量具备美感，让自己的内心具备美好的气质，能对美好敏感，不忽略美好的细节，懂得让美好愉悦自己和他人，这，就是幸福之泉。

第四章　出状况了

见我和老哥那么好，很多朋友都问我："你们吵过架吗？"我说："没吵过架，那还像个家吗？"

蜗牛一家去看画展，蜗牛妈妈说："哇塞，人类怎么把我们画那么大！"

——贝贝

1. 有人被忽略了

贝贝出生后不久，2000年的12月2日，我们终于搬进了自己按揭买的房子，天安高尔夫花园一套三室的公寓，这是我们到深圳后的第六次搬家。

那时候的我在休着产假，“产假”这两个字，可以让女人有着绝对的理由不去理会社会，不用管这个世界在做什么，有什么变化，无论是经济还是政治，无论是事业还是工作，都可以随着孩子的那一声啼哭而被隔离在尿片之外，孩子的屎和尿远比国家大事重要。

这时候的女人，对于老公或整个家族来说，的的确确是个功臣，可以居功自傲。这时候的女人，可以抱着孩子一直傻看，可以一次次轻抚孩子嫩滑如牛奶的皮肤，可以仔细体味孩子拼命吸吮乳头的感觉，可以在孩子熟睡后等着看她天使的笑容。初为人母的女人，正在享受生命，享受生命到来时，母性被彻底激活的愉悦。

当然也很忙，光贝贝的吃喝拉撒，一天就是几十件事。还要忙着晒太阳，补钙，听音乐，做baby操，哄她睡觉，跟她说话，给她看益智图片。一天下来，排得满满当当的。

好在那时候我妈和三嫂来照顾我们，我只需要指手划脚地计划，很多事情都由她们承担了。所以无论当时还是现在，我都觉得这6个月的产假，是我一生中绝对幸福的日子。

可有人并不那么幸福。初为人父的老哥一开始当然也很开心，很骄傲，一下班回来就趴在婴儿床边盯着贝贝看，表情甜蜜得一塌糊涂。叫他吃晚饭，连喊几声都没反应。

但一段时间以后，老哥感受更多的，是生活的变化。原来只有我和他两个人在家过蜜月，现在生一个贝贝，结果生出一堆人，变成了5个人的生活，负担明显加重了。另外，男人一旦作了父亲，身上的责任，不知道重了多少倍。再加上，我的心里和眼里，不再只有他，老实说，他在我心中排第一的位置被贝贝轻而易举地夺走了。

有一天晚上，我正在哄贝贝睡觉，突然看到老哥从外面回来，看了我一眼，却面无表情。

“咦，你去哪儿啦？”我不知道他什么时候出去了。

“散步！”他的声音比平时大了一倍。

“啊？什么时候去的我都不知道呢。”我看他情绪不对劲，没话找话地说。

“我每天都一个人去散步，你不知道吧？”他满腔怨气地说。

我确实不知道。吃完晚饭后，就得给贝贝洗澡，洗完澡后要给她

那天，为了拍白哈巴村的晨雾和炊烟，我们早晨四点多就起床了。

轻轻按摩一下身体,据说这样可以增加她的安全感,让她更充分地感受母爱。然后要给她放轻柔的音乐,安静地哄她睡觉,这一套下来,好歹得一个半小时。老哥大概就是这一段时间独自散步去了,怎么会他每天去散步而我不知道呢,我很纳闷。

老哥喜欢散步,喜欢牵着我的手边散步边聊,这是他多年的习惯。但自从生了贝贝,我没有再和他一起散过步。

我想缓解一下气氛,讨好地说:"老哥,你怎么啦?"

"我怎么啦,你还关心我怎么了吗?"他恶狠狠地反问。

这一刻,我突然感觉到,有人被忽略了。

老哥径直去了书房,我把贝贝哄睡以后,去找他。他在沙发上看书,见我进来,理也不理。我挨在他身边坐下,想讨好讨好他,可半天找不到词。

我吃了一惊,曾经和老哥无话不谈,曾经三言两语就能让他捧腹大笑,现在却找不出一句要说的话。这才想起我已经太久没有跟他好好说话了,他所喜欢的新闻时政,我们很久没讨论了,他的工作,我很久没过问过了,他对未来的想法,好久没听他热情洋溢地憧憬了。

这一刻,我唯一能想到的就是贝贝,我自顾自地说起贝贝一天的表现来,希望借此打开僵局,一提到贝贝,我的状态马上来了,我绘声绘色地、细枝末节地说着贝贝,边说边笑,开心满怀地表演着单口相声。

原本以为可以感染老哥的情绪,没想到他等我"谢幕"以后,来了句:"你这样很危险的。"

我很愕然:"危险?什么危险?"

"你现在眼睛只能看到贝贝,嘴里只能说贝贝,心里只能想到贝贝,你不觉得这样很危险吗?"

我笑了:"哦,我知道了,你吃醋了。"说着用手去刮他的鼻子,羞他。

那时候还没有贝贝，老哥在花展上一眼就看到了这两朵郁金香。

他打掉我的手："才不是呢，难道我不爱贝贝？贝贝并不想毁了我们的生活，是你变成了一个狭隘的24小时母亲。"

我没想到自己这么辛苦，却被他说成这样，气得嘴歪，就势在他的大腿上拧了一把。

他立即叫了起来，看我脸色也不对劲了，笑了笑缓和一下气氛，然后很认真地说："真的，最近我想了很多。我们不能'一切为了孩子'，不能把所有的时间都给孩子，不能把重点放在她一个人身上，不能因为她而忽略我们自己的感受。"

他看我脸上有所反应，继续说："她也不需要我们那样，她是一个独立的个体，会有自己完整的人生，我们只需要给她爱，和她一起成长。她不是我们生活的全部，也不是唯一需要被宠爱的人，家里的每个人，都是重点，都不应该被忽视。"

老哥娓娓道来的这一番话，可谓一语点破梦中人。

我情不自禁地回想这几个月的生活，的确，我的心里小得只能装下贝贝了，我成了个百分百的新妈妈。我忽略了老哥，忽略了自己，忽略了老妈和三嫂的感受。我忘记了思考，整天围着贝贝连轴转，看似有章有法，其实肤浅、单调。

老哥是对的，贝贝不是家的全部。事实上，我和老哥的幸福更重要，我们已经走上了成熟的人生轨道，需要彼此扶持、厮守一生，我们必须相爱，必须幸福。我们首先要对自己的幸福负责，然后才能确保贝贝成长在健康、幸福的土壤里。一对相爱的父母、一个欢乐的家庭，才是我们需要给她这一生最重要的礼物。

我对老哥说："看来我得好好反省反省了，这是个大问题。"

后来的一段时间，我开始很严肃地思考。特别是那个很多人都想过，也都谈论过的问题，即女人的三个最重要的角色，"母亲"、"妻子”、“自己”的排序问题。这个问题太关键了，直接决定了我以后如何做女人，如何面对自己的人生。

我把“自己”排在第一位，把“妻子”排在第二位，把“母亲”放在第三位。

我觉得，一个女人，永远不能忘了自己，无论是为人妻还是为人母。

不能忘了自己的外在。

不能忘了自己的内心。我有什么？想要什么？开心吗？自在吗？压抑吗？烦恼吗？

不能忘了思考。女人要有独立的思考、独立的观点、独立的判断。要让思考成为灵魂的一部分。

不能忘了学习。女人只有学习，才有活力、才有生命力，才能不和别人以及社会相隔离。

不能忘了独立。第一个层面的独立当然是经济独立，这个谁都知

老哥对“独立而又相依”的一对总是很敏感。

道；第二个层面的独立是思想的独立，有独立思考的女人，才是一个真正独立的女人。第三个层面的独立是情感的独立，这是最高境界。

有爱情的人很容易美好，一旦爱情离自己远去，有的女人不但外表枯萎，内心也空洞，女人，这时不再有力量。所以那些情感遭受波折、婚姻遭遇磨难却依然美好的女人，非常令人尊敬。

我觉得，只有做好了“自己”，才能做一个好“妻子”。

做一个好妻子需要多方面的智慧、需要很深的理解力、需要深层次的温柔，要真正懂得爱。女人先要做好“自己”，才能做好“妻子”。

只有做好了“自己”、做好了“妻子”，才能懂得“男人”和“女人”，才能教孩子如何做一个好女人或好男人。只有做好了“自己”、做好了“妻子”才能给孩子一个完美的家。

几天后，我向老哥做了这番“思想汇报”，他听后很开心地说：“孺子可教，孺子可教也。”

接下来，我开始健身，进行产后形体修复；开始关注新闻报道，研究西方报业的经营模式。我和老哥又有了夜间下半场的二人世界——喝茶、看电影、听音乐、和朋友聚会等等，就像没生贝贝时一样。

有一天和朋友们玩得比较晚，突然一个朋友大叫：“天啦，你们是生了小孩的，我都忘了。”在玩的时候，我们也忘了，也不需要记得她，她正做着她应该做的事——美梦。

我们把休闲时间分成了两部分：和贝贝在一起的时间、我和老哥两个人的时间。把晚上分成了两节课，第一节课和贝贝一起共度，第二节课贝贝睡觉了，我们安排自己想做的事，享受只有我们俩的自在。

那天早晨云层太厚，没能看到日出，不过有朝霞。

2. “工作狂最可怕了”

2001 年，我休完产假后，换了工作，非常幸运地去了一家大的日报社，这是一份以经济报道为主的大型综合性主流日报，在业内口碑很好，充满生命力，而且以经济报道为主的特色，很吸引我们这些在财经媒体干过的人。

我的具体岗位更是令我非常开心：负责金融行业的采编、广告以及发行。金融是经济的核心，通过这个领域的报道，我可以深入地学习这个我一直希望涉足的行业，没准还能去资本市场驰骋一番呢，我一得到报社的通知就心驰神往。

我以前的工作只是采访和编辑，比较单一，现在增加了广告和发行，也就是说，踏入了媒体经营的行列，这是个相当有吸引力的挑战。

我休产假期间，研究过西方媒体的一些经营模式，有很多心得，感觉当时我国的媒体经营刚刚起步。我确信一个垄断而无暴利的行业，一定在经营上大有可为。

通过休产假期间的养精蓄锐，我精神抖擞地进入了新的报社。刚去新的单位，自然要好好表现以求站稳脚跟，众多同事和领导都火眼金睛地看着呢。在深圳这个地方，竞争无处不在，你若不胜任，立马有人来替换你，几千人的报社，高手如林，得好好学着点。

老哥也非常赞同，他说："人有被认可的需要，我全力支持你。"当时他在银行工作，算是先入行，随时可以给我来点家教。家里的其他事务，也基本由他来考虑。至于照顾贝贝和处理家庭琐事，全由我妈和三嫂包了，我可以说全身心进入工作状态。

一段时间的艰苦努力之后，局面打开了，我采写的稿件、编辑的版面以及与金融行业的广告合作，获得了较普遍的认同，好消息和好评接踵而至。我大舒一口气，内心无比愉悦，并且充满着战斗力，这种战斗力让我充满激情地去工作。

人在好的工作状态里，很容易出成绩，有了成绩以后的快感又会激活对工作的热情，这种热情就是创造力，这种热情会让自己无比投入地去工作。

我写稿、编版、做方案、谈合作，忙得不亦乐乎，白天满负荷地工作，晚上一吃完饭就一头扎进书房。连睡觉之前跟老哥津津乐道的，都是自己的策划和客户的反馈。

老实说，并没有人要求我这样，我是主动地在忙并快乐着。人在做成事的时候，自己会有成就感，在做成事的时候，会被人看到，同事会赞赏，领导会表扬，客户会感激。被人认可本身就是一件愉悦的事情，而对我这种虚荣心超强的人来说，足够为它卖命。

而且，本人有一个特点，很容易把合作伙伴变成私人朋友，这样一来，很多原本属于两个机构之间的合作，突然摇身一变，变成了两个具体负责的朋友之间的“私事”,变成了朋友之间的互帮互助。这样一来,不更得尽心尽力?不得投入更多的时间?特别是在广告合作上,我一门心思为客户省钱,为客户赚钱,并且乐此不疲,自然占用了很多精力。

付出总有回报,我的回报是全方位的,我学到了东西,交到了朋友,收入提高了,评价体系建立了,自信心也变得更强了。我非常喜欢自己的工作,也非常喜欢工作。我常常自己给自己定任务,自己给自己压力。并且,越来越在意别人的评价和工作本身的压力,这种在意必然让我更加拼命。

我的这种工作状态持续了大半年,直到老哥忍无可忍。

人有时候很奇怪,当你沉浸在某种状态里的时候,会对这种状态以外的感觉浑然不知。

有一次老哥要去东北出差,他颇不情愿地告诉我时,我脱口而出:“好啊,正好我最近要做个策划,可能要加班。”老哥听了不快地说:“那好,我就不打扰你了。”我当时完全没听出他的不高兴。

第二天,他飞往东北,我踌躇满志地在报社加班。晚上,老哥突然打电话给我:“我几个小时前就到了。”我边盯着电脑,边应声说:“哦,好啊。”我没听出他这话的潜台词其实是:“你为什么不关心我什么时候到呢?为什么不像以前那样,我一下飞机,一打开手机就接到你的电话呢。”

停顿了一小会儿,老哥在电话那头阴郁地说:“飞机要是掉了你肯定不知道吧?”

“不会啊,这种新闻我们第一时间报道的。”这话一出,我立即感觉到自己的职业病犯了,立即发现自己失言了,赶紧语无伦次地说:

"不会的,吉人自有天相,好人一生平安,飞机掉的概率只是八万分之一……"

说什么都枉然了,老哥听我胡说了一通之后,用冷到冰点的声音说:"回家路上小心点,再见!"

这一刻,我才意识到,我忽略老哥了,伤害老哥了。我无心再做方案,关了电脑直接回家。

我非常难过地回到家,看到老妈正在看电视,已经11点多了,她本应该早睡了。我问她怎么还不去睡,她说:"牙疼,睡不着,干脆起来看看电视,累了就睡得着了。"我立即打了一下自己的嘴巴——几天前她老人家就跟我讲过牙疼,但我完全没往心里去,也没带她去看医生、买药。

我找了一颗去痛片、端了温水递给老妈时,感觉鼻子一阵发酸。老妈养大我们五姊妹吃了很多苦,现在一大把年纪,还来给我带小孩,她这么辛苦,可我连她的病痛都不在意,良心简直被狗吃了。我决定,明天无论如何要陪她去医院。

经过贝贝的卧室时,我蹑手蹑脚地走了进去。三嫂和贝贝睡得正香,我俯身看贝贝时,熟睡的她脸上突然绽放出笑容,那么纯净,那么甜美。莫非她在睡梦中感觉到我正看她?莫非她知道我已经好几个月没这样看她了?我的眼泪掉在她粉嘟嘟的脸上,她耸了耸鼻子,皱了皱眉头,继续睡觉。

我轻轻地擦掉她脸上的泪,凄然退了出来,那个晚上,我一夜无眠。

我成了个工作狂,我热情地拥抱工作的压力,去工作中寻找成就感,却忽略了生命中最应该关注的人。我决定快刀斩乱麻地把手上的活干完,等老哥回来好好陪他。

本来计算着老哥回来的当天,我正好把必须要做的事处理完,但没想到老哥提前一天回来了。

一打开门见到老哥，我很意外："怎么就回来了？"语气里有吃惊、有抱歉、有没准备好的担心，但可以确定的是，没有惊喜。以前他的提前回来，是惊喜，是浪漫，我会欣喜若狂地抱住他，拥抱这份开心，但这次，我心神不宁，眼神混乱。

"不好意思，我把工作提前赶完了，我先回来了，对不起，让你失望了。"老哥强压住心头的怒火、伤心和落寞，冷冷地说。

我木然地跟着老哥回到卧室，脑子里只有一个念头：出问题了。

老哥冲凉的时候，我坐在床边拼命地组织着语言，心想，是解决问题的时候了。

"哥，对不起，我保证明天开始，一切都会变。"我单刀直入，先把结论告诉他。

他显然不知道我已经痛苦地反省过了："明天完成什么策划啦？下一个活动是什么，下一个报道计划是什么，下一批好版面是哪些……刚去新报社的时候，我当然支持你把工作干出色，但没想到你会从此爱上工作，不再爱人。我告诉你，工作狂最可怕了！"

这时候听任他一泻千里肯定是最明智的选择，更何况我已经一再地伤害他。

说了一大通之后，他缓和下来："妹，你也不小了，我就问你一句话，你这一生，到底想要什么？"

"幸福。"我想了想后，很肯定地说。

"那么，什么最能让你感到幸福？"

我陷入了沉思。

"根据我对你的了解，爱情方面，你是需求旺盛的；家庭方面，你从小就希望有一个幸福完美的家庭；教子方面，贝贝一出生，你就说过孩子是母亲一生的事业；工作方面，你读了那么多书，不能白读，当然也要表现一下。你什么都想要，但是，人的精力和时间都是有限的，不可能什么都得到的，什么都完美。精力过分集中在某方面时，一定会忽略别的方面。”

这一刻，我不得不佩服老哥对我的了解，不得不欣赏他的理性，也突然意识到，自从我们相爱以来，他就在主导我人生的航向，一旦有偏离，他会随时跳出来掌舵。

“那结论是——”

“对你来说，什么都有，什么都是中上，是最幸福的。以我们的条件来说，也不可能做到上上。你不会满足一种残缺的幸福，所以你不能忽略任何一方面。”他这几天出差，估计一刻也没闲着，处理完公事，就在想着如何拯救那个迷途的妹妹。

接着他旁征博引，对我们那些不太幸福的亲人、朋友，一个个进行剖析，发现很多都是因为残缺而挣扎，因为残缺而感觉不幸，或者因为爱情，或者因为婚姻，或者因为工作，或者因为孩子……

参照别人，可以建立自己的坐标，学习他们的优秀，避免他们的问题，可以让自己的人生更顺畅，这是毫无疑问的。经老哥这样一分析，我逐渐明朗了，心服口服地说：“是啊，确实一开始就应该定位好，好在还不晚。这一段时间，我连自己都忘了，更不会问自己想要什么了。”

不需要再犹豫，在不忽略自己应该爱的人，不忽略生活的本质的情况下，尽可能努力地工作，这是我的结论。

那些在职场叱咤风云的女人，确实很迷人，我也很羡慕。但那是要付出代价的，很可能得牺牲生活中其他方面，而我对生活要求太高、太全面，就像老哥所说的，爱情、婚姻、家庭、孩子、工作一样不能少,显然,以职场为第一重心不适合我。每个人都有自己的方式,自己的幸福,都有最令自己感到幸福的方式,按自己的方式去寻找自己想要的幸福才是最重要的。

状态调整过来后,我虽然还是很喜欢工作,但明显步态从容了,所爱的人在心里又有了位置。我虽然还是很努力工作——两个人赤手空拳来到深圳,不努力工作,能混得下去吗——但明显在效率上考虑得更多了。

老哥很欣慰地说:“就是,工作只是生活的一部分嘛。其实你们老总应该给我发奖金的,你那样为工作发狂,肯定会后院起火的,家里不妥帖,一定会影响工作。”

3. “对不起,我们不玩了”

1999 年,股市经历了一拨诱人的井喷式行情,但那时我们没钱,2000 年,最热门的全民话题还是炒股,但那一年我们的主要任务是迎接贝贝的到来和新房装修,直到 2001 年,我们既无大的支出,又有了点闲钱,同事们股市赢利的报道,又随时在办公室响起,我时不时看看红红绿绿的行情和此起彼伏的 K 线图,眼红心痒。显然,飞蛾扑火,只差一条消息。

“告诉你,有一只 ST 股最近要进行资产重组,听说有大机构要注资几个亿,这题材……”“别说了,哪一只?”压低语气神秘地跟我透露此消息的,是我非常信任的一个校友,她这番雪中送炭的话没说完,我就斩钉截铁地打断了。

接下来我脑海中紧锣密鼓考虑的,是怎样说服老哥。老哥是个风险意识很强的人，可能是学法律学得过于精通吧，他对任何事情能一眼看到风险，一说到炒股，他脑海中一定是绿树成林，或者是大跳水的K线图。

回到家吃过晚饭，我把老哥拉到书房，很郑重地说："我做了个决定。"如果跟他商量，一定跟我的意见相反，干脆先来个一锤定音。

听完我的"决定"，老哥果然很吃惊地说："现在已经是高位了，而且ST股很危险的……"

我对此早有准备，阐述了一大套理财观后说："理财意识什么时候觉醒都不晚，再说呢，这么一手的消息，绝对可靠的。ST有了重组题材，就很可能摘帽，一摘帽就会猛涨，甚至翻番……"我把几天前刚学的一点理财知识和股票用语全部用上。

老哥继续阐述着他的观察，认为这一轮行情已经基本接近尾声，我一针见血地指出，那是他的风险意识作怪。

僵持了一会之后，我豁出去了："我已经决定了，我对这件事情负全责。"

老哥看我蛮劲十足，拗不过，只好同意拿出三分之一的资金："好吧，你拿去玩，玩完拉倒。"

呵呵，买进当日就涨停！我乐开了，本人也开始股海淘金了。

第二天，又一个涨停板。回到家，我冲老哥扬眉吐气地说："怎样？本人决策英明吧？"说这话的时候，我不断地想着老哥手上余下的三分之二资金，怎样弄出来呢？

刚想开口，老哥立即反对："你别发烧啊，既然涨起来快，那就意味着跌起来同样很快的。"接着他在我面前大开股市风险大讲堂。

我当然听不进去，鄙夷不屑地说："教授，我要是像你懂那么多股市之道，早就翻了几倍了。你似乎生来就是承包风险的人，你的性格注定让你对机会不敏感，错过大好时机！要是前天就把钱全部给我，早赚了百分之十五了。”

我们俩各执一辞，互不买账，分歧还在加大。由于钱在老哥账上，我哪怕再有理，也达不到目的。这种感觉真是难受，明明自己的决定那么英明伟大，却得不到认同，明明可以大把赚钱，却眼看着机会溜走。我辗转反侧，夜不能寐，气得头大。

第三天的开市就涨停，再次让我膨胀开来。我完全无心做事，没有为已经赚到的钱感到丝毫欣喜，而是不断地计算着，如果老哥那天把钱全部给了我，应该赚了多少钱。越算越觉得亏大了，越算越难过。在心里不断地骂着老哥“呆瓜”、“风险家”，对老哥从来不曾有过的瞧不起，覆盖了我对他所有的感觉。

走在回家的路上，我确定那晚只有一个目标：继续斗争，拿出我们所有的余钱，投身股市，赚它百分之百，赚出第一桶金。

真是意外！当我斗志昂扬地准备大战 30 个回合时，我们的阶级敌人却缴械了：“好吧，全部给你，我知道你是不达目的誓不罢休的，我可能判断错了，你来决定吧。”

恨不得早上 6 点就开市，冲破防线的我高唱着《义勇军进行曲》，准备在股市杀他个片甲不留。

又涨了百分之三点几，真是爽啊！

当天晚上，老哥也很开心：“妹，你是个干大事的人！下手稳、准、狠，要在古代，绝对一巾帼英雄。”

这话听起来真是舒服！我像战功赫赫的将军一样假谦虚了几句后，开始运筹帷幄地连夜分配起那座即将到来的“金山”。

第二天，我有个采访，当我人逢喜事精神爽地采访归来，打开电脑正准备迎接下一个涨停时，没想到收阴，跌了百分之四。

“没事，正常调整嘛，难不成就这样一路飚上去，一个月就完成百分之百的计划？”我虽然打心眼里希望真的就这样飚上去，但也觉得不太可能，天秤座的我拿出看家本领，自宽自慰。

接下来又是一个跌停！下一个交易日如果还跌停的话，不但胜利果实没了，还会亏。我在心里祈祷着："千万别啊。"

一回到家，老哥劈头盖脑一句："怎么样？跌得比涨得还快吧？"我故作轻松地说："哪有只涨不跌的股票？明显在上升通道里嘛，明天肯定会涨的。"我甩出半个专业用语，以示自己的老道。

第二天的股市没听我的预测，"咣叽"又一个跌停。这下我有点傻了，不但我自己满仓买了这只股票，还鬼使神差地把这消息透露给了几个密友，我自己亏了也就算了，怎么跟朋友交待？我不敢大意，赶紧一个电话打给校友，幸好她说："没问题，重组的意向没有变，应该半个月后就公布消息了。"

怕老哥担心，也怕回家看他难看的表情，我立即把这情况发信息给了老哥和其他几位密友。那天是周五，看来周末不好过了。

果然，老哥一听到我的脚步声就头也不抬地说："不听老人言。"我没法作声，郁闷地抱着贝贝强颜欢笑，心里狂希望周一不要再跌了。

真是股海风云，变幻莫测。周一大早就传来利空，证监会要查违规！大盘"唰"地掉了下来，大部分股票都跌了，处在风雨飘摇中的ST，当然率先跌停。

"怎么办？"老哥坐不住了。

我假装镇静："利空出尽就是利好嘛，明天再看看吧。"这时候撤退不是自打嘴巴吗？

真要命，接下来还是跌停，市场已经开始恐慌了，老哥的脸一如股市。

"反正已经套住了，就等解套吧。"几天前当我说着"我对这件事情负全责"时，是那样铿锵有力，而现在，我只能低声下气地这样说了。

"我说了吧，钱哪有那么好赚的，人人都想赚钱，钱从哪儿来？给点钱玩玩就好了嘛，还那么贪心，非要把钱全部拿去！现在倒好，套得死死的。”

显然，到了老哥反攻的时候，他有足够的理由这么做。股票涨的时候，我曾经是那样贪婪、自大、物欲膨胀，还嘲笑他，现在跌了，当然要面对回击和恐慌。我开始顶着老哥和亏损的双重压力，忍气吞声。

接下来的几天，老哥继续穷追猛打，股市继续下挫，我简直都不敢再打开电脑看股票市值了。

我一边痛苦着，一边陷入深深的反省中。这一个月，过起来简直像一年，我体会了多年以来最难熬的日子。股票涨停的时候，固然有过开心，但那种快乐是那么浮躁，那么昙花一现，而且，马上被想赚更多钱的心理垄断了。股票跌的时候，当然苦不堪言，还把几个那么好的朋友都搭了进去，我简直肠子都要悔绿了。

一回到家，我和老哥嘴里谈论的是股市，心里关注的还是股市，不再耳鬓厮磨，不再情意缠绵，一切都变了，连贝贝的笑声，都仿佛没那么动听。

我妈听我们争论股票，知道大概亏得厉害，吓得大气不敢出，贝贝一哭，她赶紧抱着下楼去玩。有一次她急急忙忙回来，悄悄拉着我到一边说：“听说隔壁邻居家买了个万什么，没亏，还赚了钱。”我听了哭笑不得，连老妈都在想办法救市了。

更要命的是，我和老哥的关系，变得从来没有过的糟糕。我们从来没有这么互相瞧不起过，涨的时候我瞧不来他，跌的时候他瞧不来我，我们曾经那样互相欣赏的一对人，现在只剩下互相埋怨，我们不花一分钱就能过蜜月的人，现在被炒股炒得心乱如麻。

跌到百分之四十几的时候，我终于忍不住了。

“老哥，我决定向你、向股市交一笔学费，我失败了，为我曾经的口出狂言,郑重向你道歉。我决定明天斩仓了。”我把这些在心里演练了若干遍的话,一字一顿说出来时,老哥吓了一大跳。他非常清楚,这对我来说,很不容易。我在本质上,是比较要强的,要公然承认自己的失败,很难,我这样正式地向他道歉,还是头一次。

我喑哑着嗓子继续说:“这几天,我一直在反省这一段时间的生活。很可怕,我掉进钱眼里了,被钱给治了,现在钱不见了,爱也没了,感觉糟透了。”听我那样说,老哥拉着我的手说:“爱还在,你放心。不过股市真的很可怕,人性的弱点都被它彻底激发了,涨的时候贪婪、狂妄,跌的时候后悔、恐慌……我也不好,宽容和善良都突然不见了,对你那样穷追猛打,这不像我,不像我们的生活。”

我听了忍不住委屈地流下泪来:“我的心情从来没有这样乱七八糟过,从来没有这样纠缠过。”老哥拍拍我说:“没事,明天咱们把它卖了,不玩了。至于亏的那些钱,就当之前少赚了吧,反正我们以前很穷的时候也很快活。”

第二天,我们真的斩仓了,卖完之后,顿时觉得浑身舒坦。就像一个急着要拉肚子的人,难受地到处找厕所,痛苦地憋了很久之后,终于找到了厕所。解决完了之后,大舒一口气,虽然感觉身体有点虚,但毕竟轻松了。

把斩仓的决定告诉遭这消息迫害的密友,绝对是一件更痛苦的事,但既然我要放弃了,不能不对他们老实交待。好在他们真是太够哥们了:“这怎么能怪你呢,股市有风险,买者须自担。大家都是成年人啊,你也是一番好意,想带领大家共同致富嘛。”听到这样宽宏大量的话,我真不知道是该感激涕零呢,还是直接两肋插刀。

彻底解决了,我和老哥又开始掏心窝说话了。我们一致认为通过股市赚钱,说起来容易,赚起来很难。股市成就了很多富翁,股市里也有很多高人,我们佩服他们,羡慕他们。但更多的人最终只能落个套牢或斩仓出局，在炒股上，意见一致很难，所以许多家庭因为炒股而闹得不可开交。

我们的败出也充分证明，我们不是炒股的料。虽然这次确实是高位建仓，又是仅凭消息炒股，而且买的股票是基本面很烂的ST，炒股的几大忌讳几乎占全了，客观上来说，我们既不具备操作技巧，也没有相应的心理素质，再加上我和老哥性格完全不同，一个激进，一个沉稳，很容易产生分歧，一有分歧就容易互相埋怨、互相伤害，然后就会胡言乱语，影响两个人的关系，伤及生活的本质。

那些明显的大忌以后可以避免，操作技巧也可以学习，但我们的性格是无法改变的，每个人的人生航向中，都有一些礁石，股市是我们的礁石，只能小心地避开它。不要再被它诱惑，也不要再被它破坏内心的宁静。投资的终极目是为了改善生活，生活的终极目的是为了快乐，通过股市投资，很有可能把现有的快乐都击个粉碎。

我们斩仓出来不久，媒体开始大炒基金黑幕，其他的利空消息也一串串登台，我们买过的那只股票也跟着股市一路狂跌。

几年的熊市之后，2006年下半年，股市进入大牛，很多人赚了好几倍的钱，也有很多人现在还没出来，我们看着一路狂飚的股市，有时心也奇痒难耐，有多少热钱在翻滚啊。但最终我们没有进去——"既然分手就不再联系"。

人只能错一次，更何况，现在对我们来说，拥有内心的宁静和快乐，比什么都重要。所以，针对大牛市，我们只好用极其复杂的声音对自己说："对不起，我们不玩了。"

4. 那一巴掌拍得我心冷如水

2002年下半年，贝贝一岁多了，三嫂得回家管我侄子的学习了，我们准备请个保姆。托朋友、找亲戚、去家政公司，费尽周折后，终于找到一个广西保姆。

那天，保姆小崔第一次上我们家来，她很麻利地做了晚饭给大家吃，一尝，感觉味道不错，我们舒了一口气，特别是老妈和三嫂，很开心地谈论起别的事情来，声音响亮，热情洋溢。

突然，老哥大吼一声："我跟你们说过，讲普通话！"同时右手猛地拍在餐桌上，"砰"的一声响。在餐桌旁玩玩具的贝贝吓得"哇"地哭了，我们四个人突然愣住了，齐刷刷地看向老哥。老妈和三嫂应声而停，老妈惊讶地张大着嘴，眼睛里滚出泪花。三嫂正说话的嘴立刻僵住了，吃惊地看了老哥一眼后，将头迅速埋向饭碗。保姆小崔吃惊地瞪圆了双眼。

老哥是个温和的人，我万万没想到他会有这么激烈的举动。拍巴掌在我们老家，与打耳光无异，我六十多岁的老妈被我的爱人猛拍了一个巴掌！那一瞬间，我被锥心般地刺痛了，但那一刻我不能去感受自己的痛，救场的反应必须比光速快。

我迅速地扫了一眼他们几个人的表情后，"嚯"地站了起来，给老妈夹菜，给三嫂舀汤，夸小崔的菜做得很好吃，接着大声说了一个当天在我们办公室发生的笑话。我朗声笑着，表情灿烂，一任内心滴血，一任喉咙把扒进去的饭硬生生地吞进肚里。

扒完碗里的饭以后，我实在忍不住了，抱起贝贝说："乖乖，我们到楼下散步去！"

一坐到楼下的石凳上，我的眼泪喷涌而出。我从来没有这么痛苦万状过，从来没有觉得这么无能为力过。

生我养我的老妈一辈子吃尽了苦头，这两年为了贝贝又操尽了心，三嫂为了我能睡好觉，充满精力地去上班，一直带着贝贝睡，近两年来，她没有睡过一个好觉。贝贝一生病、发烧，她们比我们还着急。她们承受了不应该承受的辛苦，她们承担了不需要承担的责任，我们应该对她们感恩戴德，应该知恩图报，可现在却让她们受到这么难堪的待遇。

如果是别人这样对她们，我会搏命，会拼死捍卫她们。但这样做的是我的老哥，在那一刻，我完全没法出招。

我如果正面回击，她们会更难堪，老妈会觉得是她让我们吵架，让我们不和，会更难受。无论什么时候，无论她遭受什么，我和老哥相爱是她最大的心愿。她和我爸吵了一辈子架，深知夫妻关系的重要。

而贤良温厚的三嫂，我如果跟老哥吵起来，她只会更自责，总在察言观色的她曾无数次埋怨自己的普通话讲得不好。

另外，第一次上门就看到雇主吵架，小崔肯定会吓跑。

我只能通过淡化来救场，通过掩饰来救场，像什么事也没有，像压根儿没听到老哥吼，没看到他拍巴掌。

但现在，我坐在冰冷的石凳上，不能欺骗自己没有感受到老哥那一巴掌，不能漠视自己心冷如水的感受。我回想着刚刚那一幕，任由泪水喷涌，心里无论如何没法淡化这件事，老妈和三嫂那一刻的表情，深深刺痛着我。

老哥曾说过几次，贝贝长大了，正是学说话的时候，叫老妈和三嫂讲普通话。但他们讲家乡土话讲了几十年，实在不习惯讲普通话，有时机械而艰难地讲几句后，又不知不觉地讲回家乡话了。

我当然也知道老哥的难受，我去过他老家几次，由于语言不通，看到他们亲人相聚那么开怀，听到他们叽哩呱啦说家乡话，那么亲切，我每次都感觉自己是到了一个孤岛上。两年来，老哥在我们家听到的百分之六十的对话，是我们的家乡话，我经常担心他有“家不是我的家”的感觉。

冷静下来细想，我甚至认为，这一巴掌，实际上是一个难以忍受的信号，是为我们家所累的强烈信号。

由于三嫂在我家，三哥也只好来深圳打工，当时我给他联系在西湖公司开中巴车，他不是蹭车，就是跟同事打架，总有处理不完的麻烦事。

而跟我差不多时间来深圳打工的弟弟，由于书读得少，只能做一些简单的事，但他偏偏很想快速致富，左冲右突地闯，结果经常得去派出所把他保出来。

当时我只要看到弟弟呼我留下的号码，或者听到他的呼机留言，我就头大，就紧张得脑袋发木，不知道他又惹出什么乱子了。

我们整个家族就我一个人读书出来，其他人都在农村或小县城，大多挣扎在生存线上。我必须帮他们，他们也只能依靠我。我心里装着外公、父母、兄弟以及他们的孩子，有几十个人。我赡养老人，为兄弟寻找出路，拼命引导侄子、侄女读书，总有处理不完的事。在深圳，有许多人都是这样，身上常常得肩负老家几代人的责任。

这当然很累，但我不能自己吃香的、喝辣的，而眼睁睁地看着他们没饭吃。我改变不了自己身上流淌的血液，必须爱他们，承担着几代人的责任。

面对这些，老哥一方面得和我共同分担，另一方面又常常疼惜我，心里当然难受。这些对于他来说，是额外的负担，从本质上来说，他们跟老哥并无直接的关系，老哥厌烦他们也是情有可原。

老妈有时也确实让我们烦，所有农村老人家来深圳的不适应症，她都有。她不允许倒掉剩饭、剩菜，有时剩菜在冰箱几天都没吃掉，也不许倒。什么易拉罐、塑料瓶、废报纸等等，都偷偷摸摸捡来藏到床底下，卖不了几个钱，倒是执著地为蟑螂建设美好乐园。明明洗脸池、马桶很脏了，她自作主张说："很干净，不用抹。"

但她是个绝对的好人，经常舍不得买一块钱的包子做早餐，可经过天桥时，她看到那些乞丐，一定会给钱。我们有时跟她说，有些乞丐其实是骗子。她会说："看样子好可怜呢，万一不是骗子呢？"

但无论如何，她是我的母亲，任何人都只有一个母亲，任何人的母亲，对于她的孩子来说，都是不容冒犯的。他冒犯我的母亲，就相当于十倍地冒犯了我！

老哥这一巴掌，究竟怎么办？我想了很多很多之后，思绪又沉重地兜了回来。

老哥犯了错误，这是肯定的，是毫无疑问的。就这样算了？不可能，作为一个正常的人，自己的母亲被这样冒犯了，不可以就这样算了。让他道歉？但这不是让他道声歉就解决了的问题。

我在楼下呆坐了一个多小时，想要面对这件事情，却一点办法一点力气都没有，我心情极其沉重。但贝贝该睡觉了，也怕老妈担心，我去楼下洗手间洗了把脸，对着镜子艰难地笑了笑，调整了表情后，抱着贝贝回家。

我像往常一样把贝贝哄睡后，回到自己的卧室。

老哥凝神看着我，眼睛里有担心、有害怕、有后悔、有故作轻松，但我什么也没说，我过两天就要出差，正好冷静地想想再说。

第一次，我们俩一夜无话。我，一夜无眠。

第二天，我没精打采地带着浓重的黑眼圈去上班了，一位和我很要好的大姐看到我的黑眼圈，非常吃惊，忙问我怎么啦，中午硬要拉着我出去吃饭。

我跟她说了这前前后后的事。她听后说：“你老哥是个百里挑一的好老公，但人有时也会犯错误，甚至会犯得莫名其妙。”

她接着颇善解人意地说：“你老哥也不容易，这点我最清楚了。我老公家以前跟你家一样，那个多事呀，简直把我搞晕了，农村亲戚左一个右一个的，全跑到深圳来。我买的是一根排骨，怎么给我搭这么多泡泡肉？我们那时经常为这吵架。”

“后来呢？”我最关心这个。

“没办法，我们俩摊牌了，要么离婚，要么把他们作为我老公的一部分来接受。我舍不得老公，所以只好妥协，只能接受。如果离了婚，我女儿怎么办？”

我说那我们还没到这一步。她马上接过话：“这个问题一开始就得讨论清楚，一开始就得接受，否则以后有太多的问题，我是过来人，不希望你们像我们那样吵。这样吧，我来跟他说，我在这个问题上太有心得了。”

我听了吓一跳，连说“不行”，自己的家庭问题，要别人来管，男人很难接受的，再加上，要是老哥知道我把这件事情告诉了别人，一定觉得很没面子。

“你放心，我也是半个好老婆。我刚好有个女朋友要离婚，要找他咨询法律方面的问题，我来约，绝不会说破，保证滴水不漏。他娶了个这么好的老婆，当然要在外围受点苦，上帝是公平的！”

我那大姐说干就干，真的约起了老哥。

我如期出差了，干脆不管不问。

3天后，我招呼也没打，就直接从北京回来了。掏出钥匙一打开门，看到老哥和老妈、三嫂坐在沙发上，有说有笑，其乐融融的样子，我吃了一惊。他们3个都不知道我那天要回，赶紧笑着跑过来，拎包的拎包，倒水的倒水，老哥更是开心满怀的样子。

看我冲完凉后，还闷闷不乐，老妈赶紧把我拉到她房间说："你出差后第二天，他就专门给我们道歉了，那样子我们都很不忍心，他也是无心的。还自己去商场买了好多东西给我们，说是赔礼。这几天，他表现可好了，一回来就跟我们聊天，我们很高兴，事情都过去了，你就别再给他脸色看了。"

我看老妈那样子是真的原谅他了，有些欣慰，但他准备怎么跟我交待呢，我一想到他那个场景，就很恼怒。

老哥满脸堆笑地把我拉向书房，打开电脑桌面上一个文件，居然是他写给我的信。

老哥的文字能力本来就很强，再加上很多掏心窝的话，用文字表达更透彻，非常打动人。我一边看，一边泪流满面。

他把自己的后悔、难受、反省、歉意、以后的打算等等全部说了出来，足足写了三千多字，写到那天晚上两点多。

老哥一边给我擦眼泪，一边时不时亲我一下，等我全部看完后，他抱起我说："那天我一说完就后悔得要死，简直怀疑自己是不是疯了。好在老妈真把我当儿子，那么宽宏大量地原谅我了，以后绝不可能再发生了。上帝已经惩罚过我了，哎，我那个难受呀。"

我没法说什么，也没法做什么，有一些伤痛，可能就得默默承受吧。

老哥接着说："我找到了一个好办法，以后你们家的事，由我来决定和处理，我们家的事由你来决定和处理。我如果对你们家人不好，你也就不要对我们家的人好。"

看来，老哥确实深度反省过了。

5. “拜托，千万别让我来场婚外情”

那天晚上，老哥有个饭局，回到家时他的表情像是钓到一条大鱼。2002年一开年，老哥从银行辞职出来做专职律师了，律师这个许多人很向往的职业，老哥戏称是钓鱼。

他一放下包就对我说：“妹，好消息！”我看他眉开眼笑的样子，赶紧尾随他去书房。

“我不是有一个法律顾问单位是做地产的吗？他们在三亚拿到一个项目，开发一大片海边的别墅，要我去负责，报酬很高。通过这个项目，我就可以把房地产这个行当摸清楚了，这样我以后的律师业务就可以定在金融和房地产两个领域。当然也不一定，没准我从此投身房地产呢。不过可能要到那边呆上一两年时间……”

我真喜欢看他兴高采烈的样子，真喜欢看他眼睛放着光地跟我说这些。我实在不愿意泼他的冷水，但当他问我感觉怎么样时，我还是诚实地把第一反应讲了出来：

“拜托，千万别让我来场婚外情。”

“啊？你难道那么意志不坚定？那么经不起诱惑？”

“对你的工作来说，这当然是一个很好的机会，但带给我们生活上的风险太大了。”

“你向来乐观，怎么这会儿也成了‘风险家’了？”

“解决诱惑最好的办法，是不让自己面对诱惑，而不是靠坚强的布尔什维克意志。先不说你会不会在那边有……”

“我绝对不会！”老哥打断我。

“好，就算你不会，但我不能保证我不会。你知道我是个需要浓烈的爱包围的人，女人 30 正是花开的季节，我虽然平常，但总有欣赏我的人吧？我的工作又很容易让我接触到优秀的男人。当你不能给我浓烈的爱的时候，我不保证别人不会。”

“你吓老子。”这句老哥用的是武汉话。

“你再看看贝贝，她两岁了，刚刚懂一点事，我不希望她以后只能通过电话找爸爸。我们有一个邻居的小孩，快两岁了，爸爸常年出差，别人到他家一提到爸爸，他就指电话，或者冲墙上施瓦辛格的装饰画笑。”

老哥笑了。跟男人提到他的小孩，无论什么时候他都柔软。

“虽然会有很高的收入，会获得很好的经历，但我们的生活质量，也不知会降低多少倍。你下班以后，一个人回到冰冷的宿舍，人生地不熟的，不难受吗，不想我们吗？我一个人要在这边撑起整个家，能行吗？家里没个男人，再怎么样都软不沓沓的。我要是生病了怎么办？贝贝半夜发烧要去医院怎么办？”

“可是，男人必须向社会证明自己，必须要有事业。”老哥强有力地甩出这个重大的理由，他显然不想放弃。

“这一点我绝对同意。但男人不是一个孤立的人，男人更需要亲密爱人证明他自己。男人身边有女人，他的女人是他的另一张脸孔，男人身边有孩子，他的孩子是他的另一个生命，他们一起组成的家是他的王国，男人除了证明自己，还要证明他的王国，以及王国里最重要的人。他的爱和责任无处不在！”

“你拖起后腿来还真有水平呢，一套一套的。这样瞻前顾后还能做成什么事！赚钱就是为了尽责任啊，养家糊口就是在表达爱啊。”他开始反唇相讥。

我也不示弱：“不对，钱只是尽责任的一种工具，一种方式，男人以为到外面赚了钱，扔给家里了，就尽到责任了，回到家里来就可以以功臣自居了，根本不是！责任有许多种，承担责任的方式也有很多种。当女人需要拥抱的时候，给她一个拥抱，这也是责任。”

我们针锋相对。

我看这样争论显然不会有结论，就换了个思路，引导他憧憬未来：“你放弃了这个机会，说不定还有更好的机会呢，要是你去了海南，在深圳有更好的机会，你就没办法了。你们做律师的，机会随时都可能眷顾啊。”

“你能不能保证？”他反戈一击。

我气坏了，没想到他会这样激我：“保证？我凭什么保证？我告诉你，我只能保证，你如果去海南，我立即开始一场婚外情！到时候，是不是离婚，离了婚贝贝跟谁，财产怎么分配，咱们就长途电话联系好了！”我已经没招了，开始不分轻重地乱说。

“好啊，你居然威胁我。”老哥也生气了。

沉默了很久。

老哥打破僵局：“总之，你是不同意的了。不过还没有到最后决定的时候，咱们都冷静一下，再好好考虑考虑吧。”

接下来的几天，我们谁也没提这事。

老哥不断地打电话征询朋友的意见，我们那些曾经两地分居或者正两地分居的夫妻，那些常年在外出差的朋友，都被老哥深度骚扰了一遍。

每当这时候，我就竖起耳朵偷听。他们给出的意见很多，但主要都是劝他不要去的。我心里狂喜，恨不得下次大摆筵席，请他们挥霍一顿。

我清醒地知道，这对我们的生活而言，是一个非常重大的决定，如果老哥去海南，很可能从此改变我们生活的航向。而这些朋友们，正在帮我们一个大忙,他们的经验和教训,对我们太宝贵了。

过了一个星期,老哥很郑重地对我说:“我已经决定不去海南了,你说得对,这件事情带来的收益不会改变生活的本质,但带来的风险有可能动摇我们生活的本质。男人不能以事业为借口,不管自己的王国。”

我马上抱住老哥调皮地说:“太好了,我保证,不来场婚外情。”

“小心我打你屁股啊,‘婚外情’、‘婚外情’挂在嘴边。”

6. 那一夜我和贝贝成了白痴

我妈形容一个人很爱另外一个人时,用的比喻总是“像爱崽一样”。她是母亲,深知“爱崽”是爱的极致。

老哥爱起崽来,也很厉害,但多数男人总是爱得比较宏观,而且容易着急。

贝贝 3 岁时,有一个周末,老哥热情地张罗着去他的同事家玩。我们家的周末活动通常由我安排,看到他这次居然这么兴致勃勃,我们很受感染。

他同事家有个快 3 岁的小女孩叫豆豆,聪明伶俐,非常可爱,和贝贝一见如故,两个人玩得很开心。

吃过晚饭,老哥突然用很有煽动力的声音说:“豆豆,给我们表演个节目好不好?”豆豆马上来了感觉,大声背了一首唐诗。

老哥热情地鼓完掌之后,又说:“豆豆,听说你认识很多字?”豆豆马上跑进她的房间,拿出一盒识字卡来,示意老哥考她。

“哇塞,你认识这么多字呀,贝贝,我们来看看她是怎么识字的。”贝贝马上走向老哥身边。

接下来，豆豆每认出一个字，老哥就大叫一声："对了"、"真棒"、"太了不起了"，语气极尽夸张之能事。

一盒卡片认完后，我们当时还不识字的贝贝，已经在一旁被刺激得脸红、心急，面色极其难看了。但老哥不以为意，还意味深长地看了我一眼。

这时，豆豆的表现欲被老哥彻底激活了，很骄傲地说："叔叔，我还会数学呢，你考考我。"

老哥马上配合着出起10以内的加减法来，还别有用心地说："现在豆豆和贝贝抢答啊，谁做对了，我就奖谁一个大拇指。"

结果10道题下来，豆豆得到了10个大拇指。还没学数学的贝贝，愣愣地坐在那里看着他们俩表演，像个十足的傻瓜。

老哥的同事看自己的女儿表现那么好，高兴地对他太太说："你什么时候教了她那么多东西？我都不知道呢。"

老哥一听，立即转过头看了我一眼，那意思是："你看看人家，你看看你。"

我气得要命，也非常心疼贝贝。但是第一次去他同事家，而且除我和贝贝两个白痴外，其他的人都似乎陶醉在豆豆的秀场里。我一时不知道怎么办才好，想起贝贝唱歌其实很好听的，就出来圆场说："现在我们来点才艺表演好不？贝贝，给大家唱首歌，你唱歌最好听了。"

没想到贝贝头也不抬地说："我不会。"

我讪笑着："哦，你想跳舞？来，贝贝最会跳舞了。"

"不会。"她又来了这么一句。显然，她的心情已经彻底搞坏了，不过这一点只有我知道。老哥有点尴尬地笑了笑，似乎觉得很没面子。

我趁机说："贝贝今天累了，也比较晚了，我们回家吧。"

把贝贝哄睡以后，我在书房找到老哥，冲他恶狠狠地说："你是故意的！”老哥看我一副来者不善的样子，没有应声。

“看我和贝贝扮演白痴，你很爽吧？”我准备发起进攻。

“你怎么这样说话呢？难道我不爱她，我不爱你？”

“孩子也有自尊心，你知不知道？你那样做可能直接影响她以后的自信，你知道吗？”我继续气势汹汹。

“我只是想刺激她一下，已经3岁了，也应该学习了。”老哥一副无辜的样子。

“那你为什么不教？三字经上说了，‘子不教，父之过’，又没说是母之过，你想要教她学习，为什么要拐弯抹角地拉我们出去出丑？”我想着他在他们家看我时那阴险狡诈的眼神就生气。

老哥被我噎住了。我继续反攻：“你不能发现自己孩子的优点，还拿她没学的东西跟人家去对比，我看你根本不配做父亲！难道她以后不会识字？以后不会10以内的加减法？我告诉你，给孩子一个快乐、自信的童年，比什么都重要！”

“别的孩子在学习，她不学习，就可能输在起跑线上。我们不去比较，她自己也会比较，她发现自己不如别人，一样会影响自信！”老哥也急了。

“别人发疯，我们不要跟着发疯好不好？才几岁的孩子，就要背多少唐诗、认多少汉字、一分钟以内要做多少道数学题，还有那么多兴趣班要上，你不觉得他们太可怜了吗？人家国外的小孩，小学三年级都还在疯玩。”

“但我们是在中国，我们的国情就是这样，就是应试教育，就是会甩掉那些成绩差的人，就是考那些几十年不变的东西。”

我这才发现，关于贝贝的教育，确实得考虑了，得统一意见了，否则，以后有吵不完的架。很多家庭都是因为孩子的教育问题，吵个没完没了，弄得孩子都无所适从。

但我们这样吵，显然不能解决问题，而只是在极力维护自己的观点而已，孩子的教育，不是父母用来一较高下的。

我叹了口气，说："好吧，看来这个问题今天不可能有结论，而且这确实是个大问题，我们都得好好思考才行，暂时放一放吧。"

老哥也赶紧顺着台阶下来，说："我们多看点家庭教育方面的书，多请教下这方面的专家，再讨论吧。"

接下来的一段时间，我们去深圳书城、当当网、亚马逊图书网淘了很多有关家庭教育的书，边读边热烈地讨论，去一些专业的少儿教育网站、专栏上遛，收获了很多建议，另外请教了许多专家和有经验或者教训的父母。

我们这才发现，教育孩子原来是世界上最复杂、最难办的事情之一。而且越看那些书，越跟那些专家交流，越觉得压力巨大。

有一天，贝贝的一个玩具坏了，满怀希望地找老哥帮她修。老哥看了看说："不行，修不好了。"贝贝很吃惊地问他："爸爸，你不是很厉害的吗？"

一听这话，老哥忙对贝贝说："你等下啊。"然后迅速拉着我去别的房间，像面对一件很棘手的事情，很紧张地问我："怎么办？"我说："你觉得呢。"

"我的第一反应是拼了老命也要把它修好，维护她心目中的老爸形象，但又一想，是不是应该告诉她这个事实：你老爸虽然厉害，但也有些事情是办不到的。"

我说应该告诉她事实。老哥犹豫了一会说："要不，我们请教下专家？"我听了哈哈大笑："这样做爸妈不得累死？"

后来，我们一起讨论了一下，对教育贝贝定了几条原则：一、先尽可能做好自己；二、学习做爸妈；三、重点教她做人、做女人的基本理念；四、对于老哥所关心的学习，我们决定抓住她的敏感期，培养她的学习兴趣和学习能力。

另外，孩子的教育只能以一个人为主导，另一个人密切配合。我和老哥确定了“妇唱夫随”的策略，后来居然配合默契。

贝贝的眼睛从4岁开始矫正视力，必须少用眼，我只同意她在每周六看一次碟。有一个周一的晚上，她很想看芭比的碟，我不让，贝贝很委屈地哭着去找“爸爸”。老哥听贝贝说完后，同仇敌忾地说：“哎呀，想看又不让看的时候真是很难受的，很伤心的，怪不得你要哭了。”贝贝看老哥那么理解他，贴着老哥的脸“呜呜”地哭了起来，眼泪擦了他一脸。

过了一会儿，老哥看贝贝发泄得差不多了，说：“咳，妈妈怎么那么偏心眼呢，只对你好，我眼睛也近视了，她就完全不管。我看电视、看书他都不管，害得我一天到晚戴着眼镜，又难看又麻烦，我简直烦死戴眼镜了，贝贝，我把眼镜送给你吧，等你长大了戴。”贝贝一听，立即从老哥身上跳了下来：“我才不要呢，那么丑，我只要不看碟，过几个月眼睛就矫正好了。”

确定了这几条以后，我们依然很忐忑，不知道能不能做好爸妈，面对孩子，似乎没办法不担心点什么。做父母的，难道都这样吗？

第五章　幸福的陷阱

2001 年到 2003 年，是我们家的事故高发时段，出现的问题涉及到方方面面。像所有家庭一样，我们经历了矛盾和冲突，经历了争吵和伤害，经历了伤心和眼泪。

好在我们门当户对，是最好的朋友，所以哪怕在火山爆发的那一刻，我们依然能听到心底的声音：我们是相爱的。

1. 绝对的门当户对

2001 年到 2003 年,是我们家的事故高发时段,我们没有回避问题,没有掩盖问题,而是认真地解决问题,一旦问题解决不了,我们就说服自己妥协,或者说接受。值得庆幸的是,那些问题都来得比较早,而且大多在始发阶段就试着解决了。

更重要的是,在这个磨合期里,我和老哥的爱,并没有太大的变化,所以问题解决起来并不那么困难,妥协起来也不那么难受,为了自己的爱人,无论怎样的付出都是值得的。

通过这一段时期,我们更深入地明白了彼此的需要,接受了彼此的方式,也逐渐建立了自己的人生坐标。我们心里,逐渐涌出越来越成熟的幸福感。

之后,我们的婚姻真如老哥所说,成了一个幸福的陷阱。当我跟朋友们娓娓道来地说着我们生活中那些点滴时,朋友们听完,常常疑惑地问:“你们俩为什么这么好呢?”

是啊,我们为什么这么好呢,这个问题,我们也常常自问。有一次,我觉得找到了答案,半搞笑地对老哥说:“我知道了,就是门当户对。”没想到老哥立即反驳:“谁说的?你显然是高攀了嘛。”

然后这家伙开始进行分析比较:“你看,我们虽然都来自农村,但我出生在大别山区,海拔有八百多米,而你,出生在典型的江南丘陵,海拔才两三百米,你不是高攀是什么?”

我大笑:“对哦,你老爸还是老一辈公社党委书记呢,多大的官啊,威震一方。而我老爸,他老人家事业最辉煌的时候,也只是村长,我不是高攀是什么?”

老哥来劲了:“嘿嘿,还有呢,我们家兄弟姐妹有9个,你们家才5个,我小时候,谁都不敢惹的。”

我看到自己整个不具备比较优势,开始狡猾地变向:“不过我们两家也有很多共同点啊,我们的妈妈都没有读过书,两家都一样穷啊。”

没想到这家伙不依不饶:“胡说,我们家比你们家穷多了。你上初中之前,夏天穿过鞋子没有?穿过吧?我从来没有,都是打赤脚。我要到县城上高中的时候,老爸才下死力给我买了一双凉鞋,那天晚上我一直在抱怨‘天怎么还不亮’。第二天一穿上那双鞋,我感觉那个幸福啊……”

我说我上小学时,中午都是吃自己带的冷饭。老哥说:“你还有饭吃?我是带两个土豆,在学校蒸熟后当午饭的。”

我说我上中学时,在家带一罐用罐头瓶子装的菜,要吃一个星期。老哥说:“你还有菜吃?我都是带辣酱,舀一勺辣酱往热饭里面一埋,又咸又辣,吃得满头大汗。我上大学的时候还是主要靠辣酱下饭,总感觉吃不饱。有一次,先打了3两米饭,拌着辣酱吃完,简直没感觉,又打了3两米饭,还是拌着辣酱吃完,有点感觉了,但还没饱。我豁出去了,反正6两米饭都吃完了,干脆饱他一次,再打了3两,这下终于吃饱了。”

接着,我们开始讲小时候所做的各种事情。虽然他家在湖北大别山区,我家在湖南农村,但我们所干的事情都非常相似,比如放牛,比如扯猪草。

老哥说他小时候干的事情主要是打柴,而我们老家产煤,不用打柴,但我也要用刀,我要用刀割牛草。

老哥说他不太会打柴,打得很慢,用柴刀也不顺。他十多岁时有一次砍柴,拿刀的手一挥,不小心砍到另一只手的手背。他抬起受伤的手一看，白骨赫然醒目，赶紧往家里跑，才跑几步远，血喷射出来，他赶紧在草地上抓了一把泥土按住伤口。跑到家的时候，按在伤口上的泥土都被血冲走了。

他说完把手给我看，现在还有一条3厘米长的伤疤。后来我每次摸他的手，都会不由自主地摸摸他的那道伤疤，为十多岁时的老哥心痛。

那个晚上我们一直在讲我们小时候的事，开始坐在沙发上讲，后来一边洗澡一边讲，最后躺到床上讲，一直讲到凌晨3点多，最后得出结论：我们是绝对的门当户对。

我颇有感触地说，先辈们真是英明，总结出了“门当户对”这个婚姻标准。其实这个标准在运行了几千年后，依然应该成为择偶最科学的标准。老哥后来惊奇地发现朋友当中那些不幸福的婚姻，根源都是因为门不当户不对。

当然，说婚姻要“门当户对”，不是看重门第，更不是有什么阶级等级观念。而是我发现，只有“门当户对”，两个人才会有类似的经历，才有可以被理解的过去，有可以畅谈的往事，有继往开来的基础，有像我和老哥那样，可以比着吹牛的各种骄傲，无论是比穷，还是比富，无论是比砍柴，还是比打猪草。

2. 多年的师生恋

用今天的话来说，“门当户对”的婚姻，能使两个人有类似的知识结构，有可以兼容的资讯，能资讯轻松地对接，形成两个人从过去到现在的了解和理解。

令人称奇的是，我们发现，我和老哥在认识之后的知识结构也几乎一模一样。

我读本科时，学的是中文，而老哥对文学向来很感兴趣，他看的文学类书籍一点不比我这读中文系的少。读中学时，他曾梦想当作家。我们在一起讲文学作品里的人物时，我一不小心会遭到他的取笑。

老哥本科读的法律专业，他后来又让我也读完了所有法律专业本科生必读的书，并让我成为我们学校第一个跨专业考上的经济法学研究生，我们还师从同一个导师，直到今天，他老人家仍是我们俩最老的义务品牌宣传员。

我毕业分配到深圳后，投身新闻事业，而老哥高考时填报的第一志愿就是中国人民大学新闻系。他对新闻的敏感性和判断力，比我这正宗报人要厉害得多，他常以一个刁难的读者的立场，对我的稿件提出各种蛮横的问题，使我不得不在发稿前一改再改。

至于我所就职的第一家报社，他在我去这家报社投递简历前，就已经自费订阅一年。老哥对这份报纸的热爱，比我们为这份报纸工作过的人多得多。

我到现在就职的报社负责金融板块时，老哥已经在银行工作了5年，我在他的正面引导以及旁敲侧击下，又学习了另一个专业——金融。

在我们多年的师徒生涯中，除了感受我们的“师生恋”，我还无数次被又爱又恨地骂成“笨蛋”、“傻瓜”，自尊心常常遭遇“重创”。

直到后来我在家革命性地建立“模拟法庭”，老哥接到案件，在正式开庭前，我作为本案对方当事人，在家模拟开庭。

老哥开完庭回来后，常大笑着打趣我：“对方当事人请的律师如果有你一半厉害，我就完蛋了。”我这时就会得意：“哼，知道本律师的厉害了吧？哈哈！”我常以这样的一声大笑，来刷新我所有“笨蛋”之类的负面称谓。

十多年的互相渗透，我和老哥的知识结构变得惊人的相似。只是，这家伙几乎总比我高明，每当这时候，我就非常讨好地说：“我是小女人嘛”、“谁叫你是我老哥呢？”而当我真的以非常佩服的语气问老哥怎么那么厉害时，他会在我面前做难得一见的谦虚状：“我是你哥嘛。”

我和老哥几乎无话不谈，无论工作还是生活，无论房地产还是金融，无论投资理财还是女儿教育，无论国家大事还是鸡毛蒜皮，无论司法制度还是新闻自由，无论音乐还是影碟，总之，一切的一切。我能说的话，老哥都能懂，老哥关心的话题，我都明白。有时，我们越聊越兴奋，到半夜一两点还睡不着。

当然，我和老哥最喜欢的，还是情话，我们俩都喜欢表达爱，喜欢自酿蜂蜜，把彼此淹死。

3. 最好的朋友

老哥不是个很主动的人，特别是在交往上。所以他的朋友不多，更准确地说，他的朋友很少。当我跟他说到这一点时，他毫不在意地说：“我有你啊，你是我最好的朋友。”

老哥也是我最好的朋友。我们“门当户对”，我们的知识结构惊人的相似，我们无话不谈，所以我们沟通最充分，最了解彼此，最懂得欣赏对方，我们成了最好的朋友。

我们俩有时不知不觉地说着互相崇拜的话，像两个喝醉了酒的哥们，极其认真地说着“我这辈子最佩服的人就是你”之类的话。

正是这种“最好的朋友”关系，成了我们婚姻的肥沃土壤。9年来，我们在这块土壤里变着各种戏法耕种，让它开各种花，结各种果。

在“最好的朋友”里加进浪漫，我们就变成情人。在马尔代夫海边的月光里共眠，在新疆白桦林自拍“儿童不宜”的照片，在土耳其古老的街道上，静夜徘徊。

在“最好的朋友”里加进责任，我们就变成夫妻。我要变着法子为老哥做5块钱的美味佳肴，要让老哥尽可能地感觉舒服。而老哥要把一个男人的好，尽量让他身边的女人知道。

在“最好的朋友”里加进耍赖、任性、撒娇，我们就变成父女。我会骑在老哥的脖子上让他气喘如牛地走在草原里。

老哥在“最好的朋友”里加进耍赖、任性、撒娇，我们就变成母子。他会在我要求他起床时提出无理要求，比如亲10个。

9年来，我们的婚姻以“最好的朋友”为营养，像万花筒似的变换着各种角色，结果，就像老哥说的，感觉就像从来没有结婚。

我那些80年代出生的朋友们，总是急急忙忙地找着结婚对象，匆匆忙忙地同居、分手、再同居、再分手，当他们问起我的建议时，我总是很认真地对他们说：“最好找到一个好朋友，然后跟他结婚。”

4. 离婚，完全有可能？

那是1999年，我们领证才不到一年，有一天老哥突然问我：“妹，你觉得有一天我们会离婚吗？”我当时一听这话，脑袋里“嗡”的一声，懵了。

从某种意义上来说，当时我们还算新婚期。老哥突然这样发问，我完全不知道他想表达什么，更不知道当时他在想什么，当然也不知道是什么触动他问这话。

我完全没有准备，我无法回答。我像个正宗傻瓜一样呆了，就在那一瞬间，我觉得我们那温暖无比的房间，突然没有了色彩，突然变得冰冷。

过了一会儿，我只好化被动为主动：“你说呢？”他头也不抬、极其平淡地说："我觉得不会的。"

原来他正在看一本杂志，其中有一篇就讲一个离婚的故事，他想到我们，于是就这样问我。

我气得不行，当我把听到这话的感觉告诉他时，他哈哈大笑，说"你怎么这么敏感呢？"我正告他："以后你没有想好要和我离婚，不许在我面前说这两个字。"

但是，说来也奇怪，自从那一次以后，我自己倒是开始直面"离婚"这个字眼。就像那一次已经产生了抗体一样，我一点都不再害怕这个词。

我开始认真地觉得，其实任何一对夫妻，结了婚以后都可能离婚，如果婚姻的理由不再存在，就会离婚。

哪怕像我和老哥，如果他爱上别的人，如果我爱上别的人，如果我们俩都爱上别的人，而我们当中的一个或两个人都希望结束现在的婚姻，那么，就会离婚。以上种种可能，都存在。

当我把这些想法跟我读研究生时的一个女同学说时，她说："怎么可能？你们俩这么好。"然后她想到了自己，说："我相信我老公也绝对不会喜欢上别人。"

然而，一个月以后，我在一家西餐厅见到他们家那位，正与另外一位女士极其亲热地拥抱在昏暗里，那感觉如同他们已经相爱几年。

我立即想起了我那女同学的话，怔怔地呆了很久，我对自己说："女人，千万不要说'我的老公绝对不会'"。我甚至立即警觉地想："我老哥会不会也……"

我决定用我学法律专业的理性，来认真面对我们未来离婚的可能性。

第一，我必须要可爱，如果我不可爱，老哥就没有理由爱我，老哥不再爱我，他就很可能爱上别的人，他爱上别的人，当然就会想和我离婚。

第二，如果老哥不爱我了，那一定不是一两天造成的，我得防微杜渐，在他减少对我的爱时，有足够的警醒，并使出浑身的智慧，让他自觉回到爱我的氛围里来。

第三，我既然和老哥结了婚，他就是最棒的，是最适合我的，是最值得我爱的，是和我的生命相关联的，我要懂得抵制外来的诱惑。

第四，我们必须要幸福。我们要幸福得谁也不想出去，只愿呆在彼此心里，哪儿也不想去。

我经常想到这几点，也经常对自己说："离婚？完全有可能。"当我这么说时，其实是在发誓：一定要守住自己的爱人，用爱，用心，用智慧。

我后来"发明"了一套自己的方式。

当我们不在一起时，我得了解他的所作所为，他在哪里？做什么？和谁在一起？为什么在一起？

当然，我不会审问，也不会抽查，而是让他主动告诉我。前提当然是，我先主动告诉他这些，包括我和某位男士单独一块吃饭。所以很自然地，他也会告诉我，慢慢地，我们就形成了透明的习惯，去之前"坦白"，回来之后"交代"或者"评论"。

而我们在一起时，第一，我要明白他的真实感受，是开心，是舒服？还是平淡、自在？或者是压抑、烦躁、无聊？第二，我要知道他在想什么，关心什么，想要什么。第三，我要及时察觉到他对我有什么不满。

我有时察言观色，有时很诚实地自问，有时反省过去一段时间自己的表现。有时，我跳到高空，俯视我们俩；有时安排第三只眼睛，审视我们俩；还有的时候，我望月思过。

所以我对月亮有着特别的敏感，任何时候一看到月亮，我都能准确说出是阴历的哪一天，我经常和朋友打赌，几乎不会输。

我就这样经营着我们的婚姻，经营着生命中最重要的元素之一，祈祷一辈子呆在这个陷阱里。

第六章 不再吵架

架也有吵干净的时候，经过那两年的磨合，我们该吵的吵过了，该解决的问题解决了，多年的相处，默契形成了，我和老哥逐渐发明了一套自己的相处方式。

1. 吵架一度成为任务

和女友聚会，婚姻、爱情属于必谈话题。当问到我的时候，我从来都老实交代，然后她们就会唏嘘感叹地盘问很多，而“你们会不会吵架”这样的问题，通常是我们的幸福隐私被挖掘得差不多了时，最后的问题。

我每次都很认真地回答说：“首先要界定一下什么是吵架。”

十多年前，我和老哥都在武汉读研究生，经常去紧邻武汉的一个城市鄂州，他姐姐住那里，我们常去打牙祭。他姐姐和我们就像好朋友，对我和老哥的交往非常关心。但她总觉得我们太好了，担心我们有不曾暴露的“阴谋”，比如缺点、弱点之类。她高瞻远瞩地对我说：“你们恋爱的时候越幸福，以后的落差就会越大。现在缺点暴露得越多，以后的相处也就越有数。”根据她的经验，吵架最容易展现一个人的缺点，比如因为什么吵，吵的时候表现怎样，吵完之后的反应如何等等，都能反映出一个人很多方面。

所以，我每次去她家，刚放下包，她就问我：“你们吵架了没有？”“你们吵过架了吗？”我每次都摇摇头，笑着说：“还没有。”

其实有一次差点真的吵起来。我忘了具体的原因，只记得因为他说了什么，让我很恼火，我本来就留了心眼想跟他吵架，结果就非常生气，把后果说得很严重，故意想激怒他。但他老人家好像压根儿不接那茬，轻松地讲了两句什么，就把我逗笑了。

我边笑边很生气地说：“你这个人真无聊，想跟你吵架都吵不成。”没想到这家伙装做很无辜的样子说：“噢，原来你刚刚想吵架呀，那你又不说一声，我怎么知道呢，下次想吵架先招呼一声，说声预备——起，老哥我马上配合。”

我把这故事说给姐姐听后，她哈哈大笑。从此，也就断了要我们吵架的念头。

老实说，经过2001年到2003年的事故高发期后，我们该吵的架吵过了，该解决的问题解决了，多年的相处，默契形成了。再加上，我们都热爱生活，热爱彼此，也特别了解彼此，了解彼此的能力，了解彼此的需要，所以，我们几乎没办法再吵架。

后来的这些年，要是说老哥没有让我生过气，或者我没有让老哥恼火过，那是不可能的。人，哪怕是自己对自己，都有自相矛盾的时候，更何况是两个不同的人呢，矛盾其实是不可避免的。

矛盾会让人恼火，这种火哪怕是火星，都很危险，它会积累、会蔓延，会波及两个人的关系，会波及两个人的情绪，会影响两个人的爱和信心。

所以当我们有矛盾时，会尽快化解，趁它还没有力量伤害彼此，或者还不曾伤害太多。渐渐地，我和老哥磨合出自己的一套解决方式。

2. 缺点如果被呵护

缺点和弱点其实不用吵架，平时就会表现出来。我的两大著名的缺点从来在爱人和亲友面前一览无余，一个是马大哈，一个是懒。

我去年带贝贝去了一趟九寨沟，回到老哥身边时，一清点，3天下来，丢了10样东西，包括对贝贝非常重要的矫正视力的眼镜。老哥苦笑着说：“妹，下次丢东西不一定要凑整数啊。”

我喜欢戴帽子、围巾、项链等等，如果一天下来什么也没丢，老哥就恨不得给我颁奖。

贝贝小时候，有一次我帮她洗澡，把她直接抱进只放了冷水的浴盆里，好在，谢天谢地，先放的不是开水。

我很懒，因为我是属猪的，是最懒的属相。我很懒，因为我是天秤座的，是最懒的星座。老哥说，自从我给自己的懒找到理论根据之后，就懒得"变本加厉"了。

我只做百分之百必须要做的事情，如果是可做可不做的事，坚决不做。必须要做的事，我也只有到"死期"才会去做。小时候，我的寒暑假作业都是在假期的最后3天，才开始考虑。

老哥对于我的缺点，多年以前就了如指掌，他曾经表扬我说："妹，你如果能把两只袜子放到一块，就很完美了。"

我们出去吃饭，老哥习惯性地走在我的后面，他非常有成就感地捡着我落下的手袋、围巾、帽子、手机等等。

我只有在走出酒楼，迎面碰到一阵冷风，或看到热辣辣的太阳时，会猛然想起我之前是戴了帽子的，准备百米冲刺跑回酒楼时，一转身，会看到帽子正得意地戴在老哥头上，配合着他的鬼脸，一同领受我的惊喜。

我只有要打电话时，才想起我可爱的手机没拿，经常一掏老哥的裤兜，就能顺利地找到手机。老哥常常累加着我丢手机的次数，估计着手机折旧后的价格，计算着他因此赚到的钱。那得意的神情，好像我那些手机自动去了趟二手市场，乖乖地变了现，再源源不断地流进了他的裤兜里。

老哥对于我的懒，永远比我自己要清醒。有一次，我第二天一早要交篇大稿，我把采访录音、搜索到的资料，全部准备好之后，挑战自我地说："我不到家里写，要不一会儿听音乐一会儿喝茶，肯定写不完，我去报社，一口气写完就回来。"老哥很鼓励地说："好，祝你写稿顺利。”

傍晚时分，我回来了。吃完晚饭，老哥问我：“煮咖啡吧？”我有点诧异，因为他知道我晚上一般不喝咖啡。他非常平淡地说：“提提神嘛，好写稿。”我虚叫一声：“你怎么知道我没写稿？”老哥老谋深算地笑着：“我还不知道你吗？明天早晨才交稿，你不到今天晚上，怎么写得出来呢？”我又是生气，又是高兴。

好在，老哥也有缺点，至少对于我来说是缺点。

他过于细致。有一次，他把一大一小两个相框放在客厅的低柜上，我看到以后，拿起来欣赏了一番，放下就走开了。他老人家走上来仔细调整着位置，几个回合下来，才找到了原先的感觉。还教育我说：“你知道吗？两个相框放在一块，只有一个放法，从视觉上来说是最美的。”但对于我这马大哈来说：咳，差不多就行了。

对于老哥的细致，我得发挥“活到老学到老的精神”，永远准备着接受他的后续教育。比如那两个相框，经他一说，我就明白了最佳审美效果。新买一束鲜花，我在插的时候，得拼命运用插花技巧，否则那花就得遭遇重新折腾的命运。

另外，老哥特别爱干净的家。如果家里什么地方不太干净，他会忙乎个不停。不像他那么高标准的我们，有时得边自责边加入搞卫生的行列，有时得眼睁睁被他批评。每当这时，我们就戏称他为“卫生局长”，或者亲切地、讨好地叫他“局长”。当他指出哪里不太干净时，我们就忙说“局长说的是”，当他自己拿起抹布抹地时，我们就谄媚地说：“局长你亲自来呀。”

事实上，“局长”超级勤快，这让以懒为特点的本人深感压力巨大。有时候我蛮横地希望自己不需要动手，局长也不要动手。但事实上，局长要求严格，经常亲自动手，本人迫于他的以身作则，只好边干活，边像局长的喽罗似的，在心底里恨恨地骂他“狗屎”。

骂完之后，舒口气，看看干净清爽的家，转而欣赏他爱家的特点，崇拜他的“追求完美”。

事实上，我也不得不“近朱者赤”地呵护着他的细致，呵护着他的追求完美，在他的带动下一起维护着干净清爽的家。

而老哥，为了捍卫自己独创的“女人是用来呵护”的观点，每天承受着我的两大缺点，还戏称自己娶了个“完美的女人”，说自己的特长是会娶老婆。

看来，缺点如果不能被改掉，最好像优点一样地来呵护。缺点和优点一样，不也是属于爱人的特质吗？

如果缺点能被呵护，因缺点而引发的战争，也就偃旗息鼓了。

3. 明天什么时候可以动？

和很多在家怕老婆，在外面不敢承认自己怕老婆的人不一样，老哥从来都毫不避讳地说自己怕老婆，他有时跟朋友做出很委屈、很搞笑的表情：“我很怕老婆的”。有时又很老夫子地说：“寡人有疾，寡人惧内。”老哥痛快地说着自己怕老婆的时候，无论我们的男朋友还是女朋友，都觉得他很可爱。

同样的，我也很怕他。怕他不高兴、怕他不爽、怕他有压力、怕他压抑、怕他难受、怕他累。从来，我都留一只眼睛，对他“察言观色”，审视他是否感到幸福，是否感到快乐，是否内心宁静，是否心满意足。

这种怕，其实就是担心，就是太在意对方的感受，就是爱。

十多年来，我们习惯了快乐着彼此的快乐，悲伤着彼此的悲伤，对方的感受，就成了自己的感受。

人都有保护自己的本能，当对方的感受就是自己的感受时，保护对方也就成为本能。还有的时候，自己的感受会悄悄退居其次，不是刻意为之，而是顺应内心，不是为了图表现，而是习惯如此。

我去年调到报社总编室，上夜班，下班比较晚，有时候晚上12点或1点才到家，很想第二天睡个大懒觉，但是通常只要老哥一起来，我也就醒来了，有时再也睡不着。

有一次，我在睡前对老哥说："明天9点半前不能动啊。"到第二天早上，老哥可能8点半就醒来了，他翻身的时候，马上想起我叫他不要动的，就直直地躺着，没有动。大概"挺"了一个小时，他可能感觉时间差不多了，就在保持身体不动的情况下，伸出手去拿床头柜上的手表，一看，真的到了9点半，就大舒一口气说："到9点半了，可以动了。"然后他欢天喜地地起身洗脸刷牙去了。

第二天，偏巧我又上夜班，睡觉前，老哥主动问我："明天什么时候可以动？"我说："我没有动的时候你就不能动啊。"我那天醒来时已经很晚了，但感觉还没睡够，翻了个身，准备继续睡，但又不太睡得着了，所以又接着翻了个身。

这时老哥很小心地轻声问："妹，你这算动了吗？"我听了哈哈大笑，说："动了，动了。"然后，我一把抱住他，感动地说："哥，你怎么这么乖呢。"后来，只要我上夜班，老哥就问我："明天什么时候可以动？"

我们一个朋友小江到我们家来玩，看到很多幸福的元素，就对老哥说："你真幸福啊。"老哥调侃说："我有多可怜你就不知道了，早上明明醒来了，也不想睡了，但我不能动的。"他听了很奇怪，老哥如实相告。小江问："你如果动了会怎么样呢？"老哥一愣，说："我没有想过这个问题呢，对了，妹，我如果动了，会怎么样啊？"我大笑："当然不怎么样啦。”

这就是老哥，满足我的需求，对他来说是无条件的，按我要求的去做，对他来说是没有原因的。做让我幸福的事情，是他的使命。

大多数中国男人都不以疼爱自己的太太为美德，就算疼爱，也绝不敢或不愿当众说出来。老哥那样做，就那样说，他是骨子里的绅士。

可能是风湿的原因吧，老哥经常会腰疼。我常申请给他捶背，他总是不肯："你一给我捶背，就会受累，你一累，我就更难受。"我只能想点小招，比如"石头剪刀布"时故意输、先让他给我捶几下背找点心理平衡感，等等。

太在意对方的感受，使我们没办法吵架，不舍得对方难受，我们没办法吵架，不舍得自己难受，我们也没办法吵架。

4. "老哥，你怎么不来点醋？"

老哥从来不吃醋，这曾经让我很生气，我想，这应该算是不太在意我的迹象吧。

有一次，我和一个比较投缘的男同事阿力共进午餐。吃着吃着，老哥打电话来了，说他路过我们报社附近，问我在哪，有没有饭吃。我说我正和阿力在吃饭，问他来不来，他很爽快地说"来"。

几分钟以后，老哥来了，阿力正在说一件事，简单打了声招呼之后，他继续说着，老哥自顾自吃起饭来。老哥吃完后，准备插嘴，阿力正说到兴头上，着急地说："别打岔。"

老哥大笑着嗔怪："哎，你别搞错了，她是我老婆呢，你们俩偷偷共进午餐，不担心我把你砍了，还不让我说话，什么世道！"阿力这才哈哈大笑，跟老哥聊了起来。

后来阿力问我：“你老哥吃醋了？没怎么你吧？你们后来没吵架吧？”我说：“他说你下次再请我吃饭，要我先策划一下，去高档的酒楼，然后偷偷给他发信息，他好赶过来。”

有一次我们报社的同事一起去阳朔玩，海子硬要我和他穿当地少数民族的衣服合影，我不好意思推脱他的热情，就跟他一起穿了苗族的结婚礼服，拍了好几张照片。

洗出来以后，我把这些照片带回家，很随意地放在茶几上，老哥后来一张一张地拿出来看，边看边笑，看完之后，就像没看过一样地随手拿起一本杂志看起来。

我说：“老哥，你怎么不来点醋？”他笑着说：“显然是机械组合嘛，那家伙，整个一土财主的摸样，你哪里会看得上？”

之后，又有一组还真像那么回事的合影。是我和我们的业余社团“业力共创社”的社长的合影。我们那次在万科十七英里搞派对，大家玩得很开心，拍了很多照片。社长大人为了加强亲和力，做了很多亲民的举动，比如和我们社员合影的时候，用那坚强的臂膀保护着我们的肩。

对于一般的老公来说，那一组照片足以引起一场连续多年的内战，但老哥看完后，只对我和社长的物理距离进行了一点评论：“太近了啊，太近了啊。”连一点不高兴的表情都没有。

我有一次很想剖析一下他为什么不吃我的醋，结果他认真地说：“我在你心里呆着呢，谁要进来，我两巴掌把他打将出去了。”

5. “一笑泯恩仇”

有一次，我们要一起出去干什么，老哥正在看碟，我边准备边提示他快点收拾，结果小女人出门前的全套准备动作我都做完了，他老人家还在盯着电视，也许是到了精彩处吧，居然还边看边笑，我很恼火，大声说：“跟你说了几次要走了，你还在看，就像没听到一样。怪不得贝贝也学你，叫她干什么总慢吞吞的。”

他见我生气了，吐了吐舌头，赶紧关了影碟机，对着一脸严肃的我讨好地说：“我虽然讨厌，但还是有闪光之处的嘛。”说完拼命眨眼睛，让眼睛在镜片后发光、发电。我一看他那样子，忍不住“扑哧”一声笑了，他见我一笑，也就放心了。

今年3月中旬，深圳人大、政协两会召开，作为一名骄傲的深圳市民，他每天盯着两会特别报道看，边看边对代表、委员们的议案、提案进行着场外热议。

有一天，他忘了，睡前才想起没看当天的报纸，赶紧拿来坐在床上看。偏巧那天我感觉比较累，希望早点睡，催了他几次，看他还在稀里哗啦地翻着，对别人的民生问题津津有味地展开评论，却不管我的感受。我不高兴了，怎样制止他呢？想了想后，狡猾的我马上找到了方法，用平静的语气说：“要不——我去隔壁客房睡？”我话音刚落，他猛地大叫一声：“城管来了，赶紧收摊！”一边将报纸一合，迅速扔到地上，然后一个箭步跑向洗手间：“最后一分钟啊，手上可能有油墨，我用洗手液洗一下，要不不敢碰你。”

我看到老哥似乎遭强刺激的连锁反应，忍不住咬住被角拼命地笑，他那句“城管来了，赶紧收摊”实在是太形象、太幽默了，瞬间让我笑得在被子里直抖，把怨气释放了个精光。洗完手回来时，他边走边说：“哎呀，不跟我睡觉，那可是要了我的老命呀。”回到床上来时，他没察觉我已经笑了，继续假扮小贩，模拟着他们被城管抓获时的语气，可怜地说：“阿sir呀，我系第一次摆摊，罚50块算了啦，200实在交不起啦。”

我终于忍不住爆笑了。

我有时也会惹恼他。有一次我不知道干了什么坏事，令他说出了一串有关我的负面评价，我吓得马上不敢做声了。他老人家批评起人来，那人俨然就是臭狗屎，我只好坐在沙发上自闻其臭地反省。

过了一会，我看老哥脸色缓和了，就挨了过去，讨好地跟他坐到一起，问他："老哥，我臭不？"他很奇怪，说："不臭呀，怎么了？"我笑着说："我刚刚还是臭狗屎，怎么一下就不臭了？"他马上也会意地笑了："你这狗屎是变异了的，不臭，反而挺香。"然后一把搂住我。

老哥追求完美，我做的很多事情都不完全如他的意，这时他就会用他的完美标准来说我，比如洗碗的时候把水洒到了厨房的地板上，铺野餐布的时候没有考虑到风向等等，但我都不以为意。

我知道他做得比我好，但我不打算像他做得那么完美，他做得好是因为他习惯了，而对我来说要花费很大的注意力，太累。我不要完美，我要幸福。我的使命是，要让我们家在整体上充满幸福、快乐和爱，而不是每一个细节的完美，我的注意力要按照我的方式来分配。

所以他说我时，我只是笑笑，或者做点自贬性的比较，赞赏他一两句。有时他不自觉地连连说我时，我就问他："难道你是上帝派来整我的？"他一听就知道自己说多了，大笑一声就过了。

还有一招，就是他一准备批评我，我就要赖，跑过去亲他，贴住他的嘴不让他说，亲完后，他笑着还想继续说时，我又亲，他就会大笑着放弃了："你这个癞皮狗。"后来我一发觉他要批评我时，就调皮地问："想我亲你了？"然后我们就很有默契地大笑。

"相逢一笑泯恩仇"，更何况是夫妻之间的那一点鸡毛蒜皮的事呢。只要两个人不积怨，也就一笑置之了。把老哥惹恼的时候，我会第一时间把他逗笑，我总能找到办法。他一笑之后，也就原谅我那一点小过错了，也就化解了那一点小矛盾。

6. “你一生气，天就塌下来了”

如果气生大了,或者说为大一些的事生气了,那就不那么容易逗笑。而且在那种气氛下,脑袋似乎也不灵光了,找不到把对方逗笑的办法。这时候,就得有点较长时间的准备。

可能是老哥性格比较好,他几乎不为什么事情生较大的气,又或者是因为我实在比他乖,所以我们家基本上都是老哥需要想办法救火。

有一次,灿灿到我们家来玩,晚了,要开车送她回家,他说他一个人送就可以了,我说:“我也去吧,送完她之后,我们一起去纯水岸坐坐,喝杯咖啡。”平时这种提议他一般都满口答应,那天不知道怎么搞的,他居然当着我的朋友的面说:“你都胖成个猪了,还去喝咖啡。”我听了脸色一沉,气得要死,但是不好说什么。

他这句话点到我好几个死穴。首先是当着我的朋友的面,其次他知道我爱美,还说我胖,不但说我胖,还说我胖成了个猪,况且他知道我喜欢浪漫,居然无礼地拒绝我的浪漫邀请。爱美、爱面子、爱浪漫的我,当然会为这句话生场大气。

一起送完灿灿回到我们小区以后,我关了车门,没有回家,而是走向花园里。老哥在后面跟着,说:“妹,我不是那个意思,你别误会嘛。”我不理,不是那个意思是什么意思?哼!

接下来,我走到哪,他也跟到哪,边走边说:“我是觉得喝咖啡会加糖嘛,加糖会让你发胖,你又最担心自己长胖了,再说那么晚了喝咖啡你会睡不着,睡不着你就会有黑眼圈,有黑眼圈又会让你着急。对不起,你原谅我吧。”

我还是不理,而且叫他不要跟着我。于是,他不敢跟着我,也不

在杭州西溪湿地公园，老哥边拍这幅图边说："你一生气，天就塌下来了。"当时他正惹火了我，我一听，"扑哧"一声笑了。

敢不跟着我，在不远处干着急，急得团团转，一点招都没有。

转了两圈之后，他气得一拳打向小区里的棕榈树，然后边甩着打疼的手，边龇牙咧嘴。

我看他那样子，也就心软了。我的感觉虽然重要，但看到自己所爱的人疼，自己的气恼也就自然引退了。我走过去拿起他打疼的手说："练过八卦神掌没有？姿势那么难看。"他见我有缓和的迹象，就说："别这样嘛，你一生气，我就觉得天都塌下来了。"听到这话，我当然只有饶了他了，更何况又不是什么大错，就用手拍了一下他的背，说："讨厌。"

他当然知道这是已经原谅了，就主动请缨说："待会儿来个全套惩罚吧。"

我们多年前就设计了好几项惩罚措施，谁犯错误用来惩罚谁，比如打光屁股——脱了裤子打屁股；摸背，犯错误的人给另一个人摸背，哄睡觉；还有“打雷”，就是用嘴巴近距离对着耳朵说话，哪怕是很小声地说，听的那个人感觉就像打雷一样，感觉又怪又好玩。

另外，在很多年以前，我们就定下规矩：生气不过夜。老哥对这项规矩的订立格外热心，他说：“过了晚上 12 点，必须无条件原谅对方。”我立马说：“那不行，你肯定就不会哄我了，消极等到 12 点，让我自动原谅你。”他马上要赌咒发誓，着急地说：“那怎么可能，只要你一生气，我就觉得是发生火灾了，得第一时间救火。你知道吗？你一生气，上帝就开始惩罚我。”

我们后来一直遵守这个规矩，生气从来不过夜。这样就不会影响睡眠，不影响生活质量，不会伤到自己，也不会伤到对方，还有可能增进对彼此的了解。

我们不把坏心情留到明天，明天，只应该留给快乐。

那天早晨刚从五溪滩下来，看到这片林子时，老哥激动得大叫：“等一下，我要拍这晨光！”后来我和灿灿在这样的阳光里兴奋地跳了一小时舞。

第七章　享受爱

婚姻里如果有爱在表达，上帝会为自己的杰作傻笑。

夫妻之间如果能充分地表达爱，能充分地享受爱，能有一些爱的习惯，就能创造完美的爱的氛围，创造完美的家庭氛围。

2006 年 1 月 24 日，贝贝第一次看到下雪，作了这首诗。

1. 我们从来“恶心吧唧”的

我和老哥最明白爱是多么享受的一件事,于是爱与被爱都让我们像吸食了鸦片一样地上瘾。表达爱,成了彼此生命中最重要的一件事,又是最自然、最开心的一件事。

有人说婚姻有“三年之痒”、“七年之痒”,我不知道我们有无多少年之痒,也许就像老哥说的,“我们没有结婚”吧,我们感受到的爱总是足够浓烈、足够醇厚。

事实上,最方便表达爱的,莫过于一个窝里的夫妻了。无论从时间上还是空间上,都是最方便的。夫妻之间如果能充分地表达着爱,能充分地享受爱,能有一些爱的习惯,就能创造完美的爱的氛围,创造完美的家庭氛围。

今年2月初的一个上午,一个再平常不过的上午,我的第二个侄女(贝贝叫她“二姐”)和贝贝在客厅练钢琴,我在书房写稿。有点累了,我站起来伸伸懒腰,老哥正好过来拿书去看,他一看我得空,就很自然地抱住我,比较紧的那种,一会儿之后,我们拥吻起来,边听着琴声,边亲嘴。

我突然忍不住笑了,亲吻没法继续,老哥笑着问我怎么啦,我边笑边说:“他们在那边辛苦练琴呢,我们在这偷偷亲嘴。”老哥说:“就是,恶心吧唧的。”他找到书,走了,边走边调皮地飞了一个吻给我,我一把接住,又扔给他,他假装被吻砸中,猛一弯腰,还做出龇牙咧嘴的表情。

这样的空隙,我们经常能找到,有时候他一低头干点啥,我就会？顺便从后面抱住他的腰，说点恶心吧唧的话。一不小心，我还会趴到他背上，他就夸张地叫着“哎哟”，或者大叫“癞皮狗，快下来”，而我听到他这样喊，可能会越爬越高。在老哥面前，撒娇耍赖能使我“所向披靡”。

我和老哥时常在在阳台上看风景，无论是看夕阳还是看夜景，老哥一般都会从身后抱住我，说一堆好听的话，给眼前的景色增加点什么。而我，总是回头对他说：“顺便亲我一个嘛，顺便嘛。”

去年夏天的一个上午，我们在小区会所打乒乓球，大汗淋漓一场之后，坐在会所旁的棕榈林里休息，老哥从来都有“保持联系”的习惯，就让我坐在他胸前，他半趴在我肩上，我们一前一后坐着，没说话，纯粹休息。

头顶蓝天白云、阳光肆意地灿烂着，风吹到刚刚运动完的我们俩身上，凉爽极了，棕榈林里只有我们俩，非常安静。

我突然很感动，柔情地问老哥：“哥，你爱我不？”老哥忙从恍惚中醒过来，说：“当然爱了，要不跟你这么恶心吧唧地坐在这里，人家都在上班呢！快起来，待会保安把我们抓起来了。”

和所有的女人一样，我总会问：“你爱我吗？”虽然明明知道答案，但还是喜欢问，为了那个令人迷恋的答案，我愿意永远犯傻。

老哥永远不厌其烦地回答，有一次我问他总回答这个问题烦不烦，他说：“不烦，回答这个问题，我最拿手了。这是最容易回答的问题，我又知道标准答案，所以总得一百分。”

事实上，老哥拥有一张非常甜蜜的嘴，他说出来的情话有时甜蜜，有时缠绵，有时温暖，有时幽默，有时天真，有时搞笑，万变不离其宗的，是爱。他似乎总是“顺便”说着，“顺便”得极其自然。

我有时看着老哥，会想起那句歌词：“一个男人的好，只有他身

边的那个女人才知道。”

有一次老哥抱着我说：“我们俩总像用双面胶粘住了一样，一直这么黏糊，可为什么总也不腻呢。”我说：“是啊，世界九大奇迹之一。”

除了那些日常的甜言蜜语，和那些随机的“搂搂抱抱”以外，我们还拥有一些十多年来一直坚持着的习惯，这些习惯让我们无比享受，又像早晨起来要刷牙一样自然。正是那种自然，让我们呼吸的空气里都融进了爱。

2. 睡眼惺忪时的那一点爱

当我早晨起来，睡眼惺忪地走进洗手间准备洗脸刷牙时，通常会

在白桦林里自拍"儿童不宜"的照片。

看到漱口杯装满了水，杯子上放着牙刷，牙刷上挤好了牙膏，看到这些，我知道，新的一天开始了。老哥用他的这套小动作唤醒着我，用这点挤好的牙膏表达着他清晨的爱。当然，有时我比老哥先起来，这一套小动作，就由我来做。

这个习惯，我们持续了很多年——用同一支牙膏，先刷牙的人为后刷牙的人挤牙膏。

这是一件小事，这也只是举手之劳。但当我睡眼惺忪时看到那一点牙膏时，老哥就会从牙膏里跳出来，从我朦胧的意识里跳出来，让我感觉到。他出去上班了，但他在此之前曾想到我，为我做过事，在我还没睡醒的时候，他为我做了一件我必须要做的事。虽然只是一件小事，但足够温暖。爱的感觉总在那些点滴里，在能被爱人看得到的细节里。

直到 2004 年，我们搬进华侨城现在住的房子里，我和老哥的洗手间有了两个洗脸池，我们俩很多时候都是同时洗漱，而且我们开始改用安利的牙膏，这种牙膏是半流质的，过一会没刷，牙膏就会流进牙刷缝里，没法再帮另一个人预先准备了。

为了补偿这项损失，老哥在那一年我生日的时候，买了一款电动牙刷送给我，还玩了一个小花招。

在我的生日餐会上，当我接过这个用漂亮的包装纸包好的礼物，准备马上拆开时，他在我的耳朵边小声说："嘿嘿，情趣内衣呢。"吓得我赶紧偷偷收好。

我回家后带着异样的心情拆开来时，发现原来是电动牙刷，很是诧异，老哥说："来点悬念嘛。"他说："为了你这懒猫能尽快醒来，为了你一醒来就能感觉到我，我给你买了这牙刷。瞧瞧，我多与时俱进呀，以前只是帮你挤牙膏，现在还帮你刷牙。"

由于在家养成的习惯，我要是和自己的闺密一起出差或者旅行时，也会给她们挤牙膏，这套小动作常常让她们发出不小的惊呼。我这才知道，这套小动作，其实很打动人，睡眼惺忪时所看到的那一点爱，其实很温暖。

表达爱，有时只需要做一点点，一点点就够，有时还只是举手之劳，如果所爱的人能懂，那"一点点"，就意味着很多。

特别是当那"一点点"经过了长时间的坚持以后，就意味着更多。这是爱在累积，爱养成了习惯。

3. 吻别是为了多争取片刻的亲热

十多年来，我和老哥一直有着吻别的习惯，无论白天还是晚上，

无论人前还是人后，两个人要分开时，就得表示一下，这对我们来说，很重要。说是吻别，其实也不完全是，有时候是拥抱，有时候只贴贴脸，或者亲亲额头，比较复杂的是我吊住他的脖子耍赖，实在有不太熟的人在场时，也就互相重重地捏一捏手，算做告别。

如果早晨我们俩的时间都比较从容，而我又在他够得着的范围内时，老哥的告别仪式就变成了系统工程，换衣服时偏着头亲一下，拿起包时顺便亲一下，送他出门时，揽住我的腰亲一下头发，穿好鞋子时，紧紧拥抱一下，关门之前再将头凑进门缝里亲一下。有时还边亲边搞笑地说："走过路过，千万莫错过。"

要是碰到我温柔病发，我就会抱住他的脖子，头在他胸前顶来顶去，不管他怎样哄，也不松手。有一次，这家伙没招了，居然笑着大叫：

“朋友,请控制一下自己的情绪!”把我笑了个半死。

近几年来,告别仪式里增加了贝贝这个主角,就更加没完没了。

有一天晚上,报社要开会,告别仪式耗去我半个小时。那俩家伙追着我、堵着我,想方设法设置障碍,不让我去。我大笑:“好啊,我这辈子事业无成,都怪你们!”

终于到达门厅,可以出发了,可是,有人大叫:“排队、排队亲妈妈!”

你猜怎么着,那队是循环往复的!一个家伙亲完,赶紧排到后面,等后面那个家伙亲完,之前的那个家伙又上来了,他们俩边笑边叫着:“到我了,到我了!”循环往复N遍,把我擦的面霜亲得颗粒不剩……

去年,我调到报社总编室后,要上夜班,有时早晨起得晚。老哥很苦恼地对我说:“你上夜班,给我出了个难题呢。”我连忙问:“什么难题?”他很认真地说:“就是早晨亲你啊。我如果亲你呢,怕你本来没醒来的,结果又被我亲醒来了。如果不亲你呢,又怕你其实已经醒来了,结果因为我没亲你,难过得再也睡不着了。”我一听,才知道原来是这么一个两难的问题,很感动地撒着娇说:“对哦,这可是个问题。”

那天,我送老哥出门时,特意紧紧地抱住他,头在他胸口顶来顶去,这家伙轻拍着我的背说:“朋友,请控制一下自己的情绪。”

为了这个两难的问题,老哥常俯身在我枕头边,犹豫、彷徨好一会。有时,他只蜻蜓点水般轻轻亲一下我的脸,掖掖被子,走了;有时用手圈住我的头,脸贴住我的脸,一动不动好一会;有时,盯着看我一会之后,只用手轻轻捏一下我的鼻子。有时,我会来个突然袭击,猛地抱住老哥的头,然后他就笑着说:“你这个骗子”;还有一次,他在床前犹豫了一会后,意外地发现我的一截小腿露在被子外面,就很欣喜地用手轻抚了一遍我的小腿，算是解决了这个难题。我起床以后发信息给他："老哥，怎么我的小腿一条嫩滑一条粗糙呢？"他回复："那你明天把另一条腿露在外面吧。"

有时我急急忙忙要出门了，老哥会跑过来说："就这样走了吗，就这样走了吗？"于是我们又来一下告别仪式。有时候他着急出门，眼看着差点走出家门了，我故意猛清嗓子，发出抗议的声音，他赶紧抱抱我，我们又争取到片刻的亲热。

那是8年前，老哥还在银行上班，每天早上8点要打考勤卡，迟到一次罚款100块，哪怕只是迟到一分钟。那时候100块对于我们来说，是个不小的数字，因为老哥还在试用期，一个月的工资也就1400块。

我们当时租住在教育学院宿舍的一间单身公寓。有一天早晨，不知道怎么搞的，闹钟没响。老哥醒来时，大叫一声："完了，要迟到了。"然后他用了三五分钟解决了穿衣、洗脸、刷牙、吃早餐等一连串事情，急匆匆下楼去了。

第一次，老哥没有和我道别。我有一点点失落，但也很理解他的紧急。我翻了个身，继续睡。

过了一会儿，老哥又"咚咚咚"地上楼来了，急速地打开门，鞋也没脱就冲了进来，我忙从床上一骨碌爬起："忘了拿什么吗？"他扑到床上一把抱住我说："忘了亲你了。"亲完后，他仿佛办了一件大事，满足地叹了口气，重新出门了。

我后来在床上发了好一会儿愣，迷迷糊糊地甜蜜了很久。

后来我问老哥为什么要迟到了，还要从一楼重新跑上七楼来亲我，他非常认真地说："我是要来告诉你，无论什么时候，你对我来说都是最重要的。"到今天，老哥还经常说着："没有什么人、什么事，比你更重要。”就像我无比确认，他是我生命中最重要的人一样。

不用说，那天的罚款没有逃掉，但老哥用这 100 块，换来我对这个细节一生的铭记。任何时候，我一想到或者说到这个细节，我的内心都充满幸福。这个细节后来成为我这个幸福的收藏家的一个经典。

对于我们来说，吻别时的那一点点表示，意味着很多。那是爱人要从身边走开，然后钻进彼此心里的一个小小的仪式。而多争取到的片刻亲热，就像是 24 小时以外，额外向上帝争取到的一点宠爱。

4. 我们总是下意识地牵手

我和老哥喜欢散步，多少年来，一直这样。特别是现在住到华侨城以后，我们按路程长短，把散步分为“散大步”、“散中步”和“散小步”。散大步是从侨城东，经燕晗山、天鹅湖、纯水岸、绕到欢乐谷、生态广场，再回到侨城东，全程大约需要 3 个小时。散中步是经燕晗山到生态广场，再原路返回，大概需要一个多小时。散小步则只是在小区里转转，随心所欲。

我们有时全家人一起散步，路程长的时候，贝贝会举着她自己设计的“家旗”做领队，谁走在最后，她就对谁说：“老年朋友，请跟上。”我们为了不当“老年朋友”，只好争先恐后地往前赶。

有时就我和老哥两个人一起散步。

我们散步的时候，老哥总习惯牵着手。我们边走边说着什么，或者什么也不说，但手总在牵着。我有时故意试探性地把手从他的大手里抽走，他就会边走边下意识地地找我的手牵。我常常边听他说着什么，边跟他的手玩捉迷藏的小游戏，老哥从来都不知道。

夏天散步的时候，很容易手心出汗，我们就订下规矩：只许牵我的一个食指。

十多年来，我们一直这样，夏天牵一个手指，其他时候，十指相扣。

有时，我和老哥两个人开车出门，我坐在右副座上，聊着聊着，会忽然发现老哥的手什么时候牵着了我的手，他不知道从什么时候开始一直在单手驾驶。老哥这个学法律的人特别维护规则的价值，他如果是在“有知有觉”的状态下，是绝不会干这种违反交通规则的事的，就像他开车时，我要喂他吃东西，他基本上都会无情地拒绝，实在开长途车饿了，他也会边吃边重申“下次不能这样”。所以当我们“觉悟”到这一点的时候，常常大笑着将手收回来，然后互相取笑对方“恶心吧唧的”。

说不出这样牵手能表达多少爱，也说不出不牵手有什么不好，但我们下意识地这样牵着。这种无意识的亲近，其实是因为心理上的需要，爱的需要，表达的习惯。

5. “保持联系”是梦幻的追求

老哥爱牵手其实是因为他总喜欢“保持联系”，和我保持一种物理上的联系。

我们一起在家看碟的时候，他会用一只手或一只脚搭在我的身上“保持联系”；我在厨房洗碗的时候，他给我收碗“保持联系”；我收拾衣服的时候，他在旁边说着话“保持联系”；我在家收拾屋子，从这间房走到那间房时，他就一间房一间房地跟着，我取笑他是“跟屁虫”，他就大声替自己解嘲说：“保持联系嘛，保持联系嘛”。

哪怕是睡觉的时候，老哥也要“保持联系”。没睡着时，我当然

天地之间，两棵树。2005年秋天，在文莱的万丈夕阳里，老哥拍疯了，但最为得意的，是这两棵树。

也愿意，枕着他的手臂，半趴在他身上，相拥着，或者牵着手，都可以。但真要睡了，我就喜欢无牵无绊地，无拘无束地睡。我会翻过身去，保持“自由人”的状态。老哥这时常会抗议：“那怎么保持联系呢，怎么联系嘛。”

当我们都睡熟时，老哥为了“保持联系”，常会在无意识状态下，或者半迷糊状态下，将他的头靠过来，靠过来，直到碰到我的头，他轻轻地碰几下确认，然后就很安心地抵住我的头，继续熟睡。

有时，我们睡着睡着离得较远，老哥的头找不到我的头时，他的手就会在不知不觉中开始摸索，直到摸到我的手、碰到我，他才会安静下来，“联系”着，继续睡去。有时候他会迷迷糊糊把手伸到我的脖子底下来，我就半迷糊着抬一下头，枕着他的手臂睡去。还有的时候，他睡成了床的对角线，头、手都“感觉”不到我的时候，就会像小朋友初学数学，手不够用时，把脚用上，他用脚找我，脚有长度的优势，最容易找到我，当然一般也只是找到我的脚，然后就搭上来。

当老哥迷糊着用各种小动作“联系”我时，我有时是醒着的，就会让他“轻而易举”地“联系”上，或者把手伸过去，抱住他的头。让他的大头安静地枕着我的臂弯，他的呼吸均匀，表情安详，当他半迷糊着有点感觉时，就用头一下一下地来碰我的头，嘴里咕咕哝哝地叫着我，说着“爱你”之类的话。这时，一种被需要的幸福感，就会温暖我的全身，我抱着这时的老哥，就像抱着我的孩子，一个很乖的孩子，一个离不开妈妈的孩子。

还有的时候，我醒来时，发现老哥把我挤在了床的边沿。当我怨怪他时，他会撒着娇说：“我肯定是找不到你嘛，谁叫你让我‘联系’不到呢。”

事实上，老哥对他的诸多小动作，基本都不知道，当我早晨说起他的表现时，他会很奇怪地说：“是吗，真的吗？”就像我跟他学说

很多朋友以为这是希腊或大堡礁的海边。老哥这时便得意地说：“这里是深圳——大梅沙。”

他在半迷糊状态下，呢呢喃喃说的那些情话一样，他总是赖皮地说：“不可能，我不可能对你那么好，不可能那么喜欢你。”

我当然知道，这种物理上的需要，其实是因为心理的需要。

6. 浪漫，是爱最美的表达

浪漫，是爱最美的表达，是把爱溶解在美丽里，把爱溶解在温柔里。

在浪漫的氛围里，爱的细胞会跳舞，快乐会飞起来，幸福会被放大，温馨成为爱的代言人。

其实，浪漫并不需要激情，也与钱没有关系，更不是时间的问题。浪漫只需要一点气质，一点心情，一点形式。

我们家的书房里，有一个半透明的白色纱盒，纱盒里珍藏着我1995年元旦时收到的一张卡片。卡片看上去朦胧、浪漫，那么精美，但它没有花去老哥一分钱。

卡片是老哥自制的。卡片的中央，是一幅从1994年某期《读者》封二剪下来的摄影作品，老哥把它贴在一张白纸上，再用另外一个本来就装卡片的薄塑料袋，把它套起来。它像别的卡片一般大小，但对我来说将是一辈子的珍藏。我后来用一个本来装化妆品的纱盒把这张卡片装了起来，立在书房最醒目的位置。

这幅黑白的摄影作品是两棵树，一棵较大，一棵稍小，不是很粗壮，但很有力量，它们缠绕在一起，缠绕得温柔、和谐，充满着爱。它们紧紧相吸，全身心地投入，那么密合，那么甜美，那么像我和老哥。

老哥在卡片旁边写了一行字：“献给我们的一辈子”，有落款，还有写卡片的时间，是1994年12月30日。

这就是我的新年礼物，这就是我收到的最好礼物之一，我一看到这个礼物就明白了老哥的用心，就明白了我们这辈子要如何去爱。这个礼物还带给我们另外一份欢乐——"扮演那两棵树"。十多年来，我和老哥经常开心地扮演那两棵缠绕着的树，只是怎么也不像。

我还有一个新年礼物更是看不见、摸不着，也不多花一分钱。

2005年的12月31日晚上，我们在家吃过晚饭，等贝贝睡了后，开车去了蛇口，准备在那里的海上世界广场迎新。据说那天有大型广场表演，会放焰火，酒吧、餐厅还通宵营业。

那晚的广场人来人往，热闹非常，各种霓虹灯、彩灯都亮了，人们手上要么拿着荧光棒、荧光动物，要么拿着气球、鲜花，脸上洋溢着开心和期待，节日气氛很浓。

我和老哥很受感染，飞快地融了进去。别人玩什么，我们玩什么，别人吃冰淇淋，我也吵着要脆皮，别人表演，我们拼命鼓掌。

快到12点的时候，老哥拉着我神秘地说："走，我有礼物给你。"

我跟着他进了车里，他点着了火，却并不开走，还要求我跟他一起去车的后座。我很奇怪，他笑着说："等一下。"然后眼睛紧张地盯着车的前方，我被他弄得摸不着头脑，只盯着他的表情，觉得很诡秘。

过了一会儿，新年的钟声敲响了，迎新焰火腾空而起，老哥一看到，立即打开车里的CD，是王力宏的那首《爱的就是你》，我最喜欢的曲子。

我听了一愣，马上想起我们看表演的时候，老哥说他去趟洗手间，原来是来调这曲子了，怪不得车也移了位，换了个能看到焰火的停车位。

他对着我的耳朵动情地说："新年快乐。"我无比感动，静静地偎在他怀里，无限感慨地听着：

在爱的幸福国度

你就是我唯一

我唯一爱的就是你

我真的爱的就是你

每一次我们靠近

你让我忘了困惑

忘了所有烦心

我把你紧紧拥入怀里

捧你在我手心

谁叫我真的爱的就是你

在爱的纯净世界

你就是我唯一

永远永远不要怀疑

我把你当做我的空气

如此形影不离

我大声说我爱的就是你

你就是我唯一

我唯一爱的就是你

我真的爱的就是你

……

老哥按了 replay 键，我们连续听了五遍，紧紧相拥，一言不发，车里浓情弥漫。

那种感觉真是神奇，那样的浪漫真是动人。

其实，浪漫有时只是当别人都在干某件事的时候，你别出心裁地干了另外一件事。比如，早晨当大家还在睡懒觉的时候，你和爱人踏着晨雾去爬山，去听鸟叫。

不久前的一天，我们一觉睡到大天亮，突然感觉很满足，似乎不用再睡了。老哥说：“我想起来去听鸟叫。”于是我们去爬燕晗山，我们舒展着四肢，偶尔来几个跳跃动作，气喘吁吁地来点小跑步。听小鸟一路欢叫，看杜鹃一路盛开。

晨雾笼着一个个银发苍苍的老人，他们有的倒退着向我们走来，有的在树下打着太极拳，有的跳着扇子舞，有的边说笑边踢着毽子。我们很高兴地发现，我和老哥是整座山上最年轻的一对“老人”。

早餐的浪漫，有时只是意味着换个地方，换点装早餐的餐具。同样的早餐，在床上用托盘装着吃，或者坐在阳台上吃，味道和平时大不一样，因为浪漫做了佐料，爱成了主食。

早餐的浪漫，有时只是意味着换个地方。

有时，我和老哥会在我们家开满簕杜鹃的阳台上吃早餐。我在阳台的木地板上，铺上软软的线毯，毯子上放两个小抱枕，我和老哥对坐在抱枕上，中间放着一个大托盘，托盘里用漂亮的手掌形的红色碟子，装着两只用橄榄油煎好的鸡蛋，方形的小花碟里放上一分为二的火龙果，两杯牛奶，四片面包，还有一份老哥喜欢的报纸。

我和老哥就着灿烂的阳光和盛开的花，在阳台上，边看报，边吃早餐，边愉悦地说点什么。

有时候，老哥也会来点小创意，端着装满早餐的托盘来敲门："Roomservice, Roomservice（客房服务）。"我一听，翻身爬起，大笑着说："先生，我没叫餐呀？"

如果是在周末，或者并无要紧事，早餐之后，我们会喝喝茶，听听音乐，看点画报，或者翻翻自己喜欢的杂志，让心情放松，放得很松很松。

浪漫午餐的花样就更多了。

和自己的爱人共进午餐，本身就是一件浪漫的事。有时，我和老哥只是一起吃个快餐，但两个人就可以多吃几样菜，你夹点菜到我碗里，我夹点菜到你碗里，温馨就来了；有时会约好去湘菜馆狂吃一顿，辣得热汗直流，相视大笑的样子，很好玩；有时，阳光正是我们所喜爱的那种，那就会共进阳光午餐；也有奢侈的时候，当海浪亲吻礁石时，当波光在太阳下跳舞时，当海风清爽地吹过来时，我和老哥轻轻碰着杯，那种情景，是醉人的浪漫，人生至少应该有一次吧。

老哥常和我共进午餐，他说："我最喜欢跟你吃饭了，没有任何目的，没有任何压力，可以什么都不说，也可以什么都说。"

浪漫的方式很多，怎样浪漫并不重要，给点心情宠爱自己和爱人，这就是浪漫。

7. 这一刻，有爱人就好

午后，如果想“偷得浮生半日闲”，如果又被阳光诱惑，想邀爱人晒晒太阳，或者喝杯咖啡，看看夕阳，快乐会放大N倍。事实上，你虽然偷走了半日，可时间并不会减少，任何人都不会有损失。地球离你半日，还很圆。

有一个下午，我感觉一天的工作差不多了，就去离报社较近的别克·乔治咖啡厅喝咖啡，喝着喝着，抬头一看，老哥进来了。我一喜，待他坐定，马上打电话问他在哪里，他说：“正想打电话邀你来别克·乔治喝咖啡呢，你怎么刚好打过来了？”我说：“那我过来了啊。”不到半分钟，我神奇地坐到了老哥的对面，把他吓了一大跳。

有时我不太想喝别人煮的咖啡，就央老哥回家煮咖啡：“没有一家有你煮的好，不如回家咱们自己煮。”老哥得了表扬，又省了钱，当然同意。

于是，在某个下午，我们会从各自办公室直奔家里，用虹吸壶煮上两杯蓝山咖啡。作为特别助理的我，会恰如其分地放上老哥喜欢的蓝调做背景音乐。

还有的时候，老哥并无马上要办的事，就会来点小策划：“我们去西丽果场看夕阳吧，有湖，有山，有荔枝林，有玫瑰园，正好边散步边看夕阳。”这样的邀请，当然是诱惑。

于是，在西丽果场的荔林里，在清澈见底的湖边，我和老哥手牵着手，漫步。在那个长满水草的草滩边，面水，看夕阳，直到红彤彤的太阳全部落入湖底。

当夕阳无边无际地笼罩过来，湖水在眼前依次燃烧出各种颜色时，什么也不要管，不要管天边的云层有多变幻，身边的荔林有多迷离，远远近近的小鸟、蟋蟀是否要回家，这一刻，有爱人就好，什么也不要管。

晚上，哪怕是在家吃着最平凡的晚饭，没准也能来点趣味和浪漫。

有时，我们的晚餐是我和老哥合作的“家宴”，洗菜、切菜、做菜、准备佐料，这是一套流水线，如果两个人一起分工合作，可以让流水线又快又好地完成“家宴”工程。那种“夫唱妇随”或“妇唱夫随”的温馨，是最平凡的温暖，又是最难得的和谐，如果再各自吹捧一下，那成就感又得成倍计算了。

还有的时候，我们会在家搞点小型擂台赛，老哥、我、贝贝大姐（我的大侄女）、二姐四个选手的晚餐挑战赛，或一人一个菜的拿手招牌菜大赛，都能把厨房变成紧张的竞技场。最后，评委们为了照顾自

在燕南飞的茶园里，我一再地申请当个采茶女，
可无论我如何乔装打扮，老哥总笑着摇头说："不像。"

已撑得过圆的肚子，通常会忘了比赛结论，或者对比赛结论敷衍塞责一番之后，另择吉日举行决赛。

而贝贝，作为最具有一锤定音资格的评委，总是摸着滚圆得像西瓜的肚子宣布："今天是我最撑的一天。"作为本次大赛的结束语。

浪漫，其实就是这么简单，就是这么美。它可以在一天当中的任何时候来到，可以在一年当中的任何时候来到。它不需要太多，却给我们很多。当我们感受到了那一刻，当我们记住了那一刻，那时候的爱，就丰满了自己的心，那时候的细节，就感动了灵魂，那时候的精彩就打扮了人生。

那一刻，有爱人就好，那一刻，我们制造了天堂般的感觉。

第八章　和男人一起长大

我并不是一开始就像现在一样，疯狂地爱着老哥的，直到和他一起长大，伴着他，从一个青涩涩的男生，成长为一个男人，一个强大的男人。

当我一点点读懂老哥的强大时，我自己也渐渐成长为一个女人。

1. 我喜欢他?

我和老哥认识于一个浪漫的偶遇,不过显然没有浪漫到一见钟情。

一面之缘后,在缘分的驱使下,我们开始了一周一个回合的通信。那时候,老哥在武汉,我在长沙,我们都在读书。那时候,没有任何比通信更先进的表达方式。不像现在,手机和电脑完全颠覆了等待的滋味。随时可以打电话、发信息、发 E-mail、直接在网上聊天,还带视频,想见的人总是触手可及。

我们只能算好彼此寄信的时间,一收一个准地从收发室拿到自己的信,然后编上号,马上写回信。我们借助传统的邮递员,而不是现在的数码符号,来表达着彼此。对善于书面表达的人来说,妙笔确实可以生花,而且写字可以涂涂改改,甚至撕掉重来,直到满意为止,所以,信上所表现的那个人,托想象力的福,可能要比实际的好得多。

所以,几个月以后,一个晓雾朦胧的早晨,当老哥通宵坐火车穿越我的梦,来到我们宿舍外面时,原来设想一眼就认出他的情景,成了真正的想象。我站在宿舍楼门口,往站着好几个男生的"望爱坡"上看了好一会,才依稀辨认出老哥来。

他站在那群男生中间,戴着平常的眼镜,穿着平常的衬衣,平常的身影,平常的笑容。认出他的那一瞬间,我不禁在心里大叫一声:天啦,他怎么那么平常!

我曾经想要高大威猛的男生,他能在我跌倒的时候,一把抱起我,以百米冲刺的速度跑向医院,他能抱着我一口气转三百六十圈,他能让我骑在脖子上跳劲舞,他爱运动,体格完美,他懂艺术,有深厚的涵养……我回忆着曾经的种种假设，心情复杂地带着老哥在校园里转着，七上八下地不知道要说什么好。

那两天，我只是略带欢欣地尽着地主之谊，带着老哥在岳麓山、湘江一带流连，常常惆怅地偷眼看着他，心想，这位让我已经投入了不少心情，却显然并非我所愿的男生，他就是我的男朋友？

我清楚地记得，那次送老哥去火车站时，离发车还有两个小时，我们在离长沙火车站最近的晓园公园候车。那天下着雨，我们坐在一个圆形的亭子里，有一搭没一搭地说着话。老哥那时候话不多，也不主动找话，更不会问我什么。

他只是等着我来发问。当时酷爱疯玩的我问他："会跳舞吗？"他笑着说："不会"。问他："会踢足球吗？"他笑着说："不会。"问他："会溜冰吗？"他也笑着说："不会"。我连续问了他五六样，他都笑着说："不会。"我大叫一声："天啦，你怎么连吹牛都不会。"

在当时的我看来，那是多没面子的事，在一个女孩子面前，在自己喜欢的女孩子面前，居然什么都说"不会"，甚至都不会换一种方式回答。显然，老哥根本不会玩，更不懂什么是浪漫，我当时这么想。

不过很奇怪的是，老哥完全不以为然。他波澜不惊地笑着，实话实说地答着，好像那说"不会"的人是我。他仿佛没看到我惊讶的表情，一点都没有顾及我的反应，也完全没有要迎合我的意思。他浅浅地笑着，一副很自在，不以为耻反以为荣的模样。

我一时无语，穿过雨帘，望着晓园里迷迷蒙蒙的一切。心想，这到底是怎样的一个人？我喜欢他？

这个看起来青涩的男生，这个当时看来像白水一样无味的老哥，在回到武汉之后，继续着他一周一个回合的信，继续把才情洋溢在信纸上。

2. 我不知道把自己交给了谁

老哥不慌不忙地，一点一点地写着他的信，后来居然让我像喝白水一样，渐渐地习惯了有他，也渐渐形成依恋。

1994 年的暑假，老哥邀我去武汉玩。我没有买到座位票，在火车上站了好几个小时，到他们宿舍一冲完凉，就坐在椅子上睡着了。

第二天早晨醒来时，我发现自己合衣睡在老哥的床上，他睡在隔壁空旷的宿舍里。他看我醒来了，就说："你昨天太累了，在椅子上睡着了，我把你抱到床上去的，衣服也没脱，不知道睡得舒不舒服。"

老哥见我有点犹疑的样子，补充说："我就看了你一小会儿，我抱你过去的时候，感觉你就像一个玩累了的小妹妹，真的，一点邪念都没有。"我听后不好意思地笑了，觉得自己不免太"小人之心"。

老哥后来欢快地做着"地主"，他带我去东湖，去磨山植物园。就像一个老哥领着小妹在游玩，他不急于表现什么，也不使出浑身解数赢得我的好感，那种感觉就好像我早就是他的了。甚至对于我的提议，他也会否定。

那天，老哥带我去参观著名的黄鹤楼，我们坐巴士在长江大桥边下，我第一次看到了长江。虽然没有滚滚的江滔，水也就像黄河水一样黄，但那毕竟是我们国家的第一大江，是地理、历史、文学书里无数次写到的母亲河，我背过的有关长江的诗词，少说也有上百首吧。我有点激动，提议说："我们一起走长江大桥好不好，走过去，再走过来，然后再上黄鹤楼。"

我以为这是个很有纪念意义、很浪漫的提议，没想到老哥说："不好，桥上车来车往，全是尾气，再说天气太热了，你会很难受的，可能走到一半，你就想往回走。”

我听了非常吃惊，我曾经有过很多古怪得多的提议，跟我一起玩的男生都会全盘接受，不会有任何折扣，没想到这个家伙，会拒绝我。我靠在桥栏杆上，看着浑浑噩噩往前涌动的江水，有点生气，有点乱。

老哥不动声色地站在我的身边，静静地看着长江水，我用眼睛的余光望着他。他戴着一副有点老土的近视眼镜，穿着暗花的枣红色衬衣，一条土灰色的休闲裤。看不出他有多优秀，也不知道他有多少魅力。而且，他已经牵过我的手，还亲了我。虽然才见面的时候，不知道会牵手，牵过手后，不知道会亲吻。既然都吻过了，那不是把自己的人生都交出去了吗？我心乱如麻。

“难道，从此就要和这个人过一辈子了吗？”我简直要喊出来，看着长江水，突然惊慌，突然茫然。

那一刻，我不知道把自己交给了谁。

3. 老哥迎风入住了我心里

现在回忆认识老哥之初，我感觉自己像个精明而保守的买家，只有发现老哥值得爱时，才把“量化”后的爱，小心谨慎地掏出去那么一点点。

所以，和许多一开始就进入疯狂状态的人不一样，我最初对老哥的爱，一直怀有某种忐忑不安。虽然明知道爱，可并不知道爱的是一个什么样的人。直到后来，我决定考经济法的研究生，蓄精养锐已久的老哥，终于像一个农夫，分到了他的第一块土地，他开始施展手脚，精耕细作，为收获做准备。

我本科学的专业是中文,要跨专业考经济法的研究生,众所周知,文学的感性思维与法律的理性思维正好是两个极端。老哥只用了大半年的时间,把我从这个极端,领向了另外一个极端,使我成为我们学校第一个公费考上经济法研究生的中文系学生。据说,当他查到我的分数,确认我是全校应届毕业生的第一名时,一个人在宿舍里狂笑了好几分钟。

在那大半年的时间里,当时在读研究生的老哥,在我身上身兼多任,作为我的法学启蒙老师,他使出浑身解数,教了一个最难缠的学生。

他给我买来几十本我必须要看的法律书,圈出了许多重点章节。那些书对当时的我来说,就像一个刚学会拼音的小孩,突然要看一本厚厚的书,而这本书满是文字,没有任何拼音。老哥只好一点点为我注音,他在法律专业上的功底,也从此崭露头角。

对于一个看惯了风花雪月文字的人来说,要去读懂枯燥的法律书,无异于要钢琴家去求解高等数学难题。老哥只好将我要学的法学教材,用文学的语言进行讲解,将法律的三段论思维模式,从古希腊神话的精髓开始演绎,经过艺术的长途跋涉,拐弯抹角地进入我的大脑。他曾经不爱多话的嘴巴,在文学与法学之间驰骋着,一旦寻找到我能听懂的话,就喜出望外地表达出来。

我迷恋形式和氛围,背《诗经》喜欢在晓雾弥漫的岳麓山上,读《春江花月夜》要去湘江边,看恐怖小说必在静悄悄的深夜……我只有做足了形式的工夫,才能让内容水到渠成地配合心灵。而法学的形式永远单一而严谨,过分强调因果而无任何意外,过分相信证据而与浪漫的形式无关。老哥因材施教,发扬我的学习传统,在潺潺的小溪边给我讲民法,在幽深的竹林里细说经济法,在朦胧的暗夜给我讲法制史,他感慨地说:“没想到学法律可以这么浪漫。”

不过，作为一名要招数用尽才能略偿所愿的老师来说，他也不会忘了严厉，哪怕那位学生是他的至爱。1994 年的那个暑假，老哥给我布置的暑假作业，是看完 10 本法律书，基本上是 4 年的经济法本科生一半的教材内容，我差点当场晕倒。但老哥说："这个暑假是最关键的打基础阶段，必须得看完这 10 本，不打折。"

我不能回家，否则双抢农忙季节，农活必定缠身，一定完不成作业。也不能呆在长沙，酷热难当不说，一日三餐要花费，下个学期的学费还得找出处。最后，我找到了一个三全其美的办法，去做全天候家教，有饭吃，能赚学费，还能顺带享受风扇的降温安抚，然后再想办法看完那些可怕的书。

那个暑假，我在长沙近郊一个建筑包工头家做起了家教。白天轮流教 3 个孩子语文、数学、外语，3 个孩子要么比赛出丑，要么比赛干蠢事，一个暑假下来，难分高下。晚上，我教胖得只能买睡衣当外衣的女主人跳交谊舞。她家有个舞池，先生常在家搞上个世纪九十年代流行的派对，女主人因为生气先生总是抱着别的女人跳舞，琢磨出里面的暧昧后，发誓自己也要学会。

于是，孩子们白天的课程一结束，女主人就把舞池的灯全部打开，怕村民们看到，她紧闭门窗，打开音响，调出不容易被偷听到的音量。她不舍得开空调，也不计较摇头摆尾的风扇所制造的噪音与音乐声的势均力敌。

其实，音响完全不用打开，因为无论我多么费劲地提示，她还是听不到节奏和鼓点。善良的她担心把我的脚踩碎了，自己把高跟鞋脱了，打着赤脚跳交谊舞。她似乎发誓要把交谊舞的优雅，糟蹋得像被野猪拱坏了的白菜。我闭着眼睛奋力地想着此番家教的三大好处，才压制住要夺门而逃的狂想。

我们跳舞时的情景，完全就是一只仙鹤在跟企鹅拼命，使足了劲，才能拉动她摇晃一下。一个小时的交谊舞课程下来，我成了盐水里捞出来的白菜。

有一天晚上，谢天谢地，停电了——我不用教女主人跳舞，终于可以整晚看书了。但与此同时，电灯也跟着休假了。我只能点着蜡烛看书，却没想到，夏天的风吹在蜡烛身上，还是挺能作威作福的。为了保护眼睛，我只好把门窗都关了。我计算着人体所需要的氧气，精确地打开窗户的一小条缝隙，以此来杜绝蜡烛的摇曳多姿。

大约过了一个小时，我的衣服湿了一大半，手因为擦汗太频繁有点酸了。可是这时我对于完成老哥的暑假作业突然有了感觉。我毅然决然地站起身，不顾 36 度的高温，把门栓好，把衣服脱了个精光，我感觉自己像个要赴死沙场的勇士一般，坐到书桌旁，一丝不挂地看手中的法律书。

当我把那天想看的书全部看完，起身准备冲凉睡觉的时候，惊奇地发现我坐的椅子周围，湿了一大圈。我起身的一刹那，本来呈点状遍布在全身的汗水，突然吆五喝六地号召了其他汗珠，浩浩荡荡地沿着湿透了的肌肤，爬行而下。我坐的竹椅子的四条腿，像正在燃烧的四根蜡烛，汗水犹如蜡泪，一颗接一颗，绵延而至，浸湿地板。

那个暑假，长沙的郊区经常停电；那个暑假，我的主打晚装，是晶莹剔透的汗珠；那个暑假，我看完了魔鬼老哥布置的 10 本法律书！

那个暑假，老哥仍然仰仗邮递员，在武汉鞭长可及地鼓励我，他给我写着信，并把写信的频率从一周一封变成了一周两封，信中极尽现在流行的“赏识教育”之能事，把刚懂点法学皮毛的我，夸张地崇拜成法学教授，似乎是我倒过来，收了他这个学生。

现在回忆起来，老哥当时对我的“赏识教育”，一如他后来对贝贝的教育方式，他教贝贝走路、教贝贝说话，教贝贝看图识字时用的语气，跟当时教我学法律所用的语气，一模一样。

除了因材施教，除了赏识教育，老哥对我这学生最特殊也最管用的一招，是关怀教育，他走近我的身边，把他的爱融进要啃的法律书里。

我得啃完他的法律书，才能享受到他的爱。他给我布置好一段时间要看的书后，就回到武汉去，等我看完了，他就回到长沙来。那种感觉就像孩提时吃中药，要闭着眼睛一口气喝下那一碗苦药，才能得到妈妈准备好的那勺白糖。

老哥说，那一段时间，他从武汉到长沙的火车票，里程累加，可以绕赤道两圈。他把火车票扎成一捆，至今还宝贝似的收着。好几个清晨，我仿佛听到老哥在叫我，翻身下床，跑到宿舍门口的“望妹坡”一看，老哥果然站在晨雾里，冲着我得意地笑。

他一来长沙，就抱着我看法律书，有时正着抱，边抱边跟我讲法学内容，一不小心亲我一口，算是干点私活。有时反着抱，我坐在他的腿上，我们看同一本法律书，看着看着他会顺便对着我的耳朵说点甜言蜜语，感觉可以休息一会儿的时候，他就对着我的耳朵“打雷”或哈气，然后就课间休息。

冬天到了，考研的冲刺阶段也就来了，“关怀教育”所涵盖的后勤工作多了起来，老哥负责买饭、洗碗、暖手，走路的时候在前面给我挡风，晚上肚子饿的时候给我去买宵夜，一如现在的父母给自己的孩子备战高考。

我清楚地记得，有一天，我们一起上晚自习，我饿了，老哥应声去几百米远的校门口买吃的。那天，风特别大，我们把帽子、围巾、大衣、手套等有助于保暖的家当都用上了，心还完全是揪紧的，脸还完全是木的。

老哥走了大约一刻钟，我估摸着他应该要回来了，就趴在窗户上往路口望,正巧看到老哥迎着风,小跑步而来,他为了减少风的扫荡面,斜着身子,佝偻着腰,右手拿着一根烤好的火腿肠,伸进左手拉开的大衣里。他怕把刚烤好的火腿吹冷了,宁愿扯开大衣,让冷风肆无忌惮地侵略他的身体。我看到他尽量蜷缩着往前滚动的身影,眼泪"唰"地流了下来。

就在那一刻,我发了我人生中第一个恶誓:我一定要考上研究生!就在那一刻,老哥迎风入住了我的心里,从此没再出来。

当我考完试,那个冬天的下午,我和老哥来到湘江中的一个无名小洲上。细细的沙滩像盐一样白,纯白的沙滩上有波浪的足迹,沙滩上呈现出一条条优美的弧线,密密地闪耀着温柔,我们不忍心踏坏了浪的纹路,就在沙滩边和老哥相拥而坐。

当我靠在老哥的肩上,静静地望着湘江水跳跃而去,一边回想着考研的点点滴滴时,我不只一次在心底里大声喟叹一声:"上帝啊,我爱这个男孩!"

大半年的考研生涯是我人生中极其重要的一笔,不光是因为我穿着一身是汗的晚装,终于走进了另一个专业领域,更重要的是,那个曾经淡如白水的老哥,让我一点点地明白,高大威猛的外表并不重要,会玩、爱运动等,都是小事。他在我考研期间的所作所为,让我清楚地明白,老哥是一个懂得爱的人,而这一点,比什么都重要,这一点,也让我从此认定老哥,不再有别的思量。

我的幸福,也就从此敲定。

4. 男人一学会浪漫，女人就完了

音乐人谭盾在接受普鲁斯特问卷时，对“你最欣赏的女人的特质是什么”的回答是“浪漫”。我当时看了大声叫好，立即引为知己。

不过，我觉得不单女人要浪漫，男人更应该是浪漫的始作俑者。男人一旦引发浪漫事件，女人除了陶醉，就是为男人拼命加分，能得此分的男人，必定更具有生命力。

考完研究生后，我开始对那个“根本不会玩、不懂浪漫的”老哥，隐隐约约地担着心，觉得他很需要在这方面加分。好在，老哥在这方面的潜质还不错。

我们读法律研究生的人，一般上学后第一件要紧事，就是准备律师资格考试，心理准备期通常是一年，实际备考约大半年。比如我们95级的研究生，在1995年秋天入学后，一般会在1996年的秋季参加律师资格考试。律师资格考试被认为是目前最难的考试之一，有的人要考几次才能过。

我在1995年上半年拿到读研录取通知单后，本科已毕业，研究生要到9月份才开学，中间本有个轻松写意的暑假，但这个暑假，老哥要移驾到我们家写论文，他为了我不至于有太多的时间捣蛋，安排我提前一年考律师资格。

老哥给我复印了十多块钱的法规条文，买了一本薄薄的习题集后，很轻松地说：“足够了，看本师傅再创造一个奇迹。”我看着书店那厚厚的一摞专业应考书籍，再掂掂他老人家的装备，简直不敢相信。结果居然没能证明他的狂妄，本人真的只花了两个月的时间，凭少量的复习资料，就奇迹般地获得了律师资格。

提前一年通过律考的直接后果是，在课外，当我的同学们都在备战律考的时候，我除了和老哥浪漫，找不到其他更值得的事做。

我们清晨相约踏落叶、听鸟语，下午去散步、看夕阳，晚上一起上晚自习、看电影等等。一天到晚，一年四季，可以尽享浪漫。

我们学校外面是美丽的南湖，沿湖栽着一排柳树，柳树的柔美最适合爱人的心境，无论清晨还是黄昏，我和老哥都爱在柳树下流连。

有一次，我看到有一棵柳树无限倾情地俯身水面，婀娜的身影渗透在湖水里，非常安静，我们相拥着看了一会后，我对老哥说："要是有个秋千就好了。"我觉得如果有人在柳树上荡秋千，无论是柳树还是湖水，都会瞬间生动起来，马上就有了别样的味道。

"我现在就给你做一个。"老哥说完很轻巧地爬上柳树，在两棵相邻的柳树上各扎好一把垂柳，将两把垂柳相连、扎紧，就成了一个天然的秋千。老哥变魔术般地做好了这个秋千，没有折断柳条，没有凭借别的工具和东西，他做好秋千后先坐上去试了一下，发现承重能力足够了，就开心地拍拍手对我说："来，妹，我推你。"从那以后，我就像一只顽皮的蝴蝶，常在这两棵柳树间翻飞，像一个开心的音符，在湖水与柳树间来回荡漾。

有一次，我和老哥来到我们专用的秋千旁，看到另一个女孩未经允许，坐在我的秋千上，一个男孩起劲地推着她，无所顾忌地泼洒着笑声。我走过去迟疑着对她说："这个秋千是我的。"她笑着说："我知道，经常看你在这荡，这回好不容易逮着你不在，就擅自借用了，给我荡一下啊。"

有一回，我跟老哥坦白初识他时的"观后感"，说当时觉得他压根儿不会玩，是根本不懂浪漫的人。他大笑着说："玩，谁不会呢，天生的。浪漫，只要有爱就可以了，明白了爱人的心思，再去制造点美好心情，就是浪漫事件，这是最容易学的事。”

那时候大学里流行跳交谊舞，我在读本科的时候就表现不俗了，读研究生时，准备再深造一下，没想到老哥不干了，他说：“那怎么可以？凭什么放点音乐，就可以让一个陌生人抱着你，手心对着手心，肩挨着肩？”

老哥开始学跳舞，从慢三学起，奇怪的是，在我看来只是听着音乐走路这样的事，老哥做起来还蛮费劲的。而作为老师，我的耐心远不如他，教了他一会儿之后，我就不干了。老哥却并不气馁，一开始空着两只手假装跟我跳，后来找不到感觉了，不顾我的狂笑，在宿舍里抱着椅子跳。他抱着比他的身体还阔大的椅子，口里念着“嘣嚓嚓”，摸索着在宿舍里转圈的情景，把推门进来的室友吓得赶紧看门牌号码，以为走错了门。

他跳到一半，突然问我：“妹，现在哪只脚先出？”舞曲刚起的时候，老哥知道是左脚先出，但跳着跳着，不知道哪个脚先出了，我听到他这样发问，简直要满地找眼镜，笑得不知道要如何回答。

好像完全帮不了他，我继续看我的小说，放出话：“你如果学不会，我就和别的男士跳。”老哥听了放下椅子，说：“看来我得积善行德了。”我笑着说：“还没见过把自己学交谊舞提升为公益事业的呢。”

“那当然，我如果学不会，就得把舞场变成屠宰场。救人一命，胜造七级浮屠，阿弥驼佛！别打扰我啊，救人要紧。”老哥扮了个鬼脸后开始紧张的救人工作。

抢救工作似乎卓有成效，过了一会儿，老哥突然得意地大叫起来：“我知道了，被靠的那只脚先出！”“哈……”我没法不爆笑。没什么舞感的老哥，调动了他的逻辑思维能力，拼命地来寻找舞步的规律，经过与椅子舞伴的反复磨合后，终于得出结论，跳三步是先迈左脚，然后右脚靠上去，接着是“被靠的那只脚先出”！我放下手中的小说，忍不住跑过去抱住老哥亲了一下，我觉得他简直是无法救药地可爱。

没办法知道老哥究竟是怎么学会跳舞的，不过他最终还是在舞场上赢得了和我从一而终的舞伴权，并且懂得了用舞蹈来演绎浪漫。老哥在很多重要时刻，比如我们领结婚证的当晚，或者某个纪念日，都会和我紧紧相拥地跳贴面舞，有时我的光脚丫踩在他的脚板上，有时我的双脚夹住他的双腿，一起似舞非舞，似摇非摇。邀我跳舞时，老哥总会说那句“被靠的那只脚先出”，来逗我大笑。

对于老哥来说，连跳舞都能学会，别的好玩的事、浪漫的事，学起来就易如反掌。比如，在环绕着我们学校的小河沟里，自由自在地撑篙划船，徒步汤孙湖时，让我轻松地坐在他的脖子上游荡……

后来，老哥甚至能游刃有余地运用着浪漫。他安排一颗懂得爱的心去做卧底，略施小计就制造出各种美好。他把爱溶解在美丽里，溶解在温柔里，去俘虏他所爱的女人的无尽缠绵。

男人一学会了浪漫，女人就完了。

5. 你觉得有什么遗憾吗？

在我被“骗婚”一年多后，1999年的某一天，我和一位女友共进午餐。她和男朋友恋爱了一年多，和许多女孩一样，在跨进婚姻殿堂前有着莫名的惆怅和惶恐。她问我：“你的婚姻怎么样？嫁了他以后，有过什么遗憾吗？”

我跟她说了一件小事。

1997 年的冬天，我们 95 级的研究生要开始找工作了，当时的法学硕士就业机会虽比现在的要多，但要找到自己满意的工作也不是很容易，我们女同学在出去找工作前常在一块犯愁。读国际经济法的小晰跟我比较要好，她的男朋友凌峰当时也在深圳工作，当她把烦恼跟凌峰说时，凌峰斩钉截铁地说：“你怕什么？有我呢！”

凌峰这句一锤定音的话，当时赢得了我们所有女生的喝彩。这句话充满了男人气概，让找工作这件困难的事，突然变得令人无限神往。我们顿时对小晰充满了羡慕。

当我把这件事跟老哥说了后，老哥语气很虚地说：“嘿嘿，我不敢这样说，这话太厉害了，我不能这样说，找工作只能靠你自己的。”老哥有些抱歉地笑着，不顾我可能会觉得他不够男人，他这样想，就这样说。

我当然也知道找工作只能靠自己。但是，任何女人都愿意听到那样的话。这句具有泰山压顶气势的假话，充满着男人的魅力，能让人在阴天看到灿烂的太阳，能让一个衣衫褴褛的女人，突然看到自己身着华丽的晚装。但老哥不会这样说，他在羽翼未丰时，绝不会去尝试飞。

后来，我和我的同学们都凭自己的努力找到了工作，小晰也一样，凌峰虽然给她壮了胆，但一个刚到深圳站稳脚跟的人，客观上真的不可能给她实质性的帮助，她也是靠自己找到了工作。

多年以后，我们几个女同学再聚会时，都还清楚地记得凌峰那句话。

提到对老哥的遗憾，我很老实地对女友说：“我觉得他的生命力不够强盛，不够强大，就是不够 MAN。”

我觉得男人要强大，要顶天立地，要让女人觉得他是山，可以依靠。要让女人有一种“凡事有他”的安心和超然，要让女人一碰到棘手的问题，就会想：“怕什么？有他呢！”

我的女友更绝，她说：“要有‘强大’的感觉，好歹得有梅尔·吉布森(演《勇敢的心》的男主角)的勇猛，角斗士般的体格，就算老了，他也得像《偷天陷阱》里道格拉斯演的男主角……总之，要让女人在他面前甘愿做一只小鸟。”

——女人的心中，都有一些强大的模型。

我对女友说，老哥是斯文、儒雅型的，他虽看起来舒服，但并不活力四射，他虽热爱生活，但生命的张力看上去不够。他如果是树，我也只能是他身边的另一棵树。我不能是藤，不能依靠他。所以老哥永远不会像凌峰那样说话。

老哥凡事追求完美、看重细节，而我，更喜欢男人大气磅礴。更贪婪地说，我既要“大江东去，浪淘尽”的气势，又要“杨柳岸，晓风残月”的唯美。显然，女人的贪婪和女人的梦，成就了女人的遗憾。更何况，女人总在一起互闯梦境，并争相抬举各自的梦，一不小心就对男人感到失望。

女友大为赞同：“有些遗憾确实是女人自找的，有了遗憾后，就看怎么面对了，或者被动地忍受，或者说服自己积极地接受。人哪能没有遗憾呢。”

6. “嫁鸡随鸡”

好在，那些“遗憾”在我心里作祟的时间，总也不会长。因为我是“天秤座”的，永远懂得平衡自己的心态。

我第一次参加高考身体出了点状况，没考上大学，得复读一年，我们复读班的很多同学都觉得很丢脸。我却对自己说："幸好没考好，要不很可能考个大专。现在有机会复读一年，没准考个一类本科呢。"我说完，照样兴高采烈。

第二次高考，我也没能如愿地考上一类本科，而只是上了二类本科。我对自己说："上大学主要靠自己的，什么大学都无所谓，再说呢，我们学校的前身是岳麓书院，岳麓书院早在南宋时就有了，那时候，北大在哪？"我有时异想天开地取笑自己：阿Q一定是天秤座的。

所以，有关老哥的"遗憾"，对于我来说，也不在话下。更何况，老哥的优点那么多。我有时扳着手指列举着老哥的各类优点，不禁在心里大叫一声："天啦，他怎么会看上我？"

事实上，我们上个世纪90年代末来到深圳时，深圳已经走过了"遍地是金"、"机会汹涌"的"淘金者"时代，我们这些从外地毕业分配来的学生，只能把竞争贴在脑门上，在深圳工作、结婚、买房、生子，一个个沿着生命最正常的轨迹，认真去干着每个年龄段最应该干的事。

我们必须清醒地面对现实，哪怕在心里有"遗憾"，也只能悄悄地进行自我救赎。

翻看以前的日记，我发现2000年的4月22日的这一天，非常值得纪念。

这一天，我对"嫁鸡随鸡"有了自己的心得，我在日记中写道：

我今天逛了一间小店，看到一只可爱的公鸡，当然是公仔啦。我想到老哥刚好是属鸡的，就毫不犹豫地买了，89块呢，还挺贵的。

坐公共汽车回家时，我摇摇晃晃地看着它，脑海中突然冒出"嫁鸡随鸡"这个词。我发现，"嫁鸡随鸡"的观念，其实是守护婚姻的精髓。

主要是在"随"字上，"随"首先应该是"随他"的意思，即"由他"、

“尊重他”。

另外,还应该有“追随”的意思。追随他的思想、追随他的成长,打定主意爱他,跟定他,“无论他贫穷还是富有,无论他疾病或者健康”。我惊喜地发现,这“嫁鸡随鸡”的观念,其实跟西方在教堂里举行婚礼时,神父问两位新人的话是一个意思。

所以,我既然嫁了老哥这只“鸡”,就应该尊重他,尊重他的任何优点、缺点,尊重他的想法,爱他,和他一起成长,“无论他贫穷还是富有,无论他疾病或者健康”。

这个发现对于我来说,是革命性的。我从此不再试图改变老哥什么,而是静静地站在老哥身边,追随他,和他一起成长,和他一起面对任何问题。

从那以后,有关老哥“不够强大”的“遗憾”,很少在我心里出现。

关于这一点,我也经常有意识地请教一些“过来人”,注意吸取他们的人生经验和智慧,我发现认真听“老人言”,总能听到经时间验证过的真理。

我们报社一位前辈,在婚姻里幸福了近二十年的大姐,这样告诉我:“相信你的丈夫是世界上最好的,是最适合你的,对他好,爱他,守住这一辈子的缘分。”

她说:“有的女人哪怕是嫁了,也还在寻寻觅觅,内心不安定,其实每个人都有优点、缺点,接受就好了,不要抱怨,也不要去比较。跟他的过去比较,跟别的男人比较,这些都是大忌。”

而一位四十多岁的大哥更是说得干脆:“对于一个男人来说,让他们感觉最幸福的就是被全盘接受,不要对他挑三拣四地抱怨。”

他们的这些话,被我记得很牢,几年来无数次想起,提醒着我去接受属于我的爱人,去接受属于我的老哥。

2000 年以后，我已经充分懂得了接受的价值，对老哥也无比地死心塌地。哪怕在后来生了贝贝以后的事故高发时段，我都没有动摇过对老哥的爱，所以，我们的婚姻，没有几年之痒。

7. 一个男人的强大

我和老哥认真地工作，认真地生活，一同缔造着各种变化——买房、生孩子、换工作、买车、教孩子，等等。

10 年过去了，人都会长大，不论男人还是女人。毕业分配后的第一个 10 年，是一个人快速成长的 10 年，虽然不再有考试，不再有专职老师的训导，但身边的人和事，都在推动我们成长，岁月在不知不觉中，教会我们很多。

特别是老哥，他始终主导着我们的人生航向，发现一有偏离，或者可能有偏离，立即站出来掌舵。10 年来，他用他的方式调教着我，调校着我们的航线。

他该出手时就出手，不惜对我骗婚。没有婚纱、没有蜜月，但他自有一套谬论。当我沉迷于孩子时，他及时告诉我“很危险”；当我成为工作狂时，他点醒我“什么最能让我感到幸福”；当我炒股一败涂地时，他泰然接受因我的胡闹而产生的巨额亏损；他宠着贝贝，呵护着我，也坚毅地接受着我的家人。

那一年春节，我们原本不打算回老家的。但我老爸开的私采小煤窑突然出了状况，需要大笔安置费，工人的工资和奖金突然没了着落，就差几天要过年了，我们家顿时像大雨来临前的蚁穴，跑去找老爸要钱的人围在我们家，家里人急得团团转。

老爸只好找我们来救场，老哥二话没说就答应了。

由于需要的资金量较大，如果汇款，当地的农行小储蓄所根本没办法提那么多现金，我们只好在深圳提了现金直接送回老家。

正值春运的最高峰，飞机票、火车票全没了，那时候我们还没买车，只好全副武装地去挤火车。

我们拼死挤上去的火车是从广州临时加开至长沙的，好不容易花了高价在餐车旁买到一个临时位置，以为好歹挺一个晚上，也就到长沙了。没想到那年出现罕见的大雪，一时传来路轨断裂的消息，一时传来山体塌方压住路轨的消息，结果我们在广州火车站就呆了整整 5 个小时。

好不容易等到火车开动，我们这临时加的列车又不得不经常避让别的火车，随时都可能停，停了后什么时候开，连司机都是两眼一摸黑。

结果原本应该早晨 7 点到长沙的，到下午 3 点，还只到达衡阳。火车上挤得水泄不通，连想上厕所都得死死地忍着。带的零食都吃光了，由于空气不流通，各种恶臭久久难以散去。我和老哥受不了了，决定提前下车，改坐汽车回去。

到衡阳长途客运站一看，当天只有到邵阳的车了，车快开了，又没有座位，老哥托着我的屁股，把我从窗户塞了进去，我用自己的包在走道上做了个座位，而老哥只能站在门口，一只脚悬空，时不时按一下那装着现金的包。

风雪飘摇中，汽车走走停停，司机随时得拿着铁锹去铲滑坡堆下来的泥土。直到晚上 10 点多才到邵阳。

一天一夜没睡，疲惫不堪的我们到邵阳的同学家倒头就睡，借宿了一晚后，又坐上了开往我们县城的车。

那几天不知道怎么搞的，倒霉事挤一块来了，我们的车行走在山道上时突然坏了，前不沾村后不着店，只能下车走到几里路外的小镇去碰碰运气，看看有没有别的过路车或便车。

大雪后下过小雨，路上的烂泥滑得像冰场，我没走几步就摔了一跤，好在老哥及时抓住，否则会来个四脚朝天。我们一步一滑地往前走着，冷风吹进脖子里生生地疼。

老哥拉着我，肩上背着四个包，从后面完全看不到他的头，我要帮他拿一个，他笑着说："你只要保证不摔跤，长征之后就给你颁发荣誉奖章。"

我说："可是你也太难受了吧。"

他居然幽默地笑着说："唉，男人，就是难受的人嘛。"

我听了他这话，感觉真是百味杂陈，难过、感动、辛酸、感激，什么都有，鼻子拼命地发酸，老哥的难受是因为我。

从急忙去银行提现、到挤上火车、然后火车转汽车、汽车转步行，一路上受尽波折，但他没有抱怨一句。我虽然也辛苦，但那毕竟是我家的麻烦事，就算感到难受也不敢说。但对老哥来说，这一切都是额外的拖累。

自从那次拍巴掌事件后，老哥就真的承担了我们家上上下下太多的杂务。我除了对他们家的人更好外，只能在心底里唏嘘感叹他作为男人的力量和责任。

冷风中，老哥牵着我艰难地滑行着，为了缓解难受，他还苦中作乐地给我讲了几个关于长征的笑话，我勉强地笑着，心里不断翻滚着关于男人，关于强大的男人的理解。

大年二十九的傍晚，我们在长征了五十多个小时后，终于到了我家，两个人感觉只剩下最后一口气了。

我们一进家门，老爸顿时如遇大赦，满屋子等工资奖金的煤炭工人，齐刷刷站了起来，迎接大救星，迎接他们要带回老家过年的钱。

老哥长叹一口气说：“唉呀，终于在大年三十前送到了。”

最近这一两年，我开始重新思考男人的强大。想起曾经跟女友说过的“遗憾”，想起多年前对老哥“不够强大”的评价，不禁哑然失笑。

我发现，女人对于男人外表的在意，一点都不比男人对女人少，甚至有过之无不及。我发现，我们多年前对于“强大”的理解，都是基于外在，而非内心。加上女人天生多梦，电影和各类艺术空间里，又给我们塑造了各种“强大”的模型，于是，我们身边的男人，总带有某种遗憾。

好在，女人的理解能力也会成长，岁月终于让我明白，男人的强大不在外在，而在心灵，心灵的强大，才能成就男人的强大。

我终于明白，如果没有战争，“勇猛”并没有用武之地，和平年代的“勇敢”，最多只表现为生活中的“无所畏惧”。

我终于明白，像角斗士那样高大威猛的体格，如果没有竞技场，也只是浪费。

我终于明白，强大的体力，在工具和专业人士的取代下，已逐渐消磨了优势。

有一次，我偶有所悟，对老哥说：“既然‘国’已经有人在管了，那我们就管好‘家’好了；既然在‘国家’的和谐上做不了什么，那我们就贡献一个和谐的家好了；既然在税收、就业上没有机会做太大的贡献，那我们就做好手上的那份工作好了。”

老哥大笑：“我这几个月去香港，发现在很多广告牌上，都有特首曾荫权竞选下一任的竞选词，就是非常简单的一句话：‘我会做好这份工’，看来你们所见略同嘛。”

经过这些年，我终于意识到，一个普通男人的强大，其实就是爱好身边应该爱的人，做好身边应该做的事，创造一个和谐的家，做一个值得尊敬的人。在他的身上，有一种精神，一种率领所爱的人从容追求幸福的精神；在他的身上，有一种氛围，这氛围像磁场一样，辐射着他自在的欢乐。

当我终于明白这些时，也就明白了老哥的强大。

8. 男人长大的时候，女人干什么？

今年是我们到深圳十周年，是我和老哥“领证”九周年，显然今年容易让我们陷入总结和回忆。

有一天，老哥突然问我：“我这个演员怎么样？”我一愣：“在街上做了群众演员吗？”他大笑：“嘿嘿，正儿八经的偶像剧，我这十年，不是在你的导演下，演出着偶像剧吗？我现在才发现，你这个女人，是最阴险、最奸诈的女人。”

“这些年，你人前人后地夸我，害得我只有为更好拼命；你在所有的朋友面前把我说成偶像，害得我只好每天出演偶像剧；你把我们家描述成幸福标本，不维护好这幸福指数，很多人的理想就要破灭……”

经他一说，我这才发现自己原来挺英明伟大的，嘿嘿，得意。

老哥继续控诉：“你这是在出动亲友团，进行着可怕的舆论监督。”我说：“嘿嘿，俺就是干这个的嘛。”

我的好朋友们年龄跨度挺大的，有的大我十多岁，有的又小我十多岁，有的跟我年龄相当，女朋友居多。女朋友们在一块，谈得最多的，当然是“爱情”、“婚姻”、“男人”、“女人”和“孩子”等生活化的话题。我不是有意的，但老哥还真的不知不觉成了偶像，我们家还真的成了朋友们心中的标本。

“咱们这是互为导演啊，不过，我上演的是梦想剧场，你把你的梦想在我身上一一实现,把我塑造成了你想要的女人。这十多年来,我也无时无刻不在接受你的调教呀。”我抬举他的时候,也没有忘记自夸一把。

有一次,我们“业力共创社”聚会,老哥参加了,社长指着我对老哥说:“你把她调教得不错。”老哥听了非常得意,那一段时间,他动不动就对我说:“过来,让我调教一下。”

我回忆着自己的导演生涯,纵观着人生百态,偶有心得,就会及时发布,以警醒自己。

当一些结婚没多久的闺密对我偷偷说着他们对老公的失望时,我会对她们说:“男人都会长大的,你要学会等待,要有耐性,其实你也一样有缺点的呀,你们都会长大的。”

当我的女朋友当着我和她老公的面,抱怨她老公的种种坏毛病,甚至抱怨他不会赚钱时,我会另找机会对女朋友说:“你犯了大忌了,女人永远不能不顾男人的面子和尊严。特别是在赚钱上,那是男人的死穴,不能碰的,他一定比你更想赚钱,不能刺激他的。”

不止一次,到我们家来的夫妻差点当场大吵起来。他们一看到我们家的氛围,一看到我和老哥那种习惯性的黏糊劲,一般的反应都是互相指责对方。我的女友会立即拿自己的老公和我老哥比,他老公则会反唇相讥地指着我说“你看人家你看你”之类的话。经常说着说着就会吵起来,然后我和老哥就得各劝一方。

男人之间似乎不用多说什么,老哥只拍拍那位男士的肩膀说:“哥们儿,女人是用来呵护的。”而我,就会对女友短话长说:“千万不能比较,每个人都有自己的特质,每对夫妻都大不--样,你这样比是不公平的。如果你怪他,他的第一反应肯定是反过来怪你,如果你先检讨自己,用他喜欢的方式,对他好,他也马上会检讨他自己,然后对你好。”

有一次，一对朋友到我家来玩，在我们书桌上看到一张白纸，上面写着：“俺家该做未做的10件事”，列举的事情后面有的打了勾，有的没打。感觉里面一定有故事，他们赶紧问我。

我老实相告——我们家刚搬到华侨城后，有一些装修和搬家后留下的尾巴，一直没有处理。那些事在通常情况下，都应该是男人干的事。我看老哥一副熟视无睹的样子，在心里暗自着急。

后来我想了个小花招，把应该要做的事情，一项项列举了出来，列完后，笑着把老哥拉到书房，无比讨好地对他说：“老哥，我不想成为唠叨的女人，女人一唠叨就老了；我也不想成为过分能干的女人，过分能干的女人身边，要么是虚弱的男人，要么是奇懒的男人，你都不是，你是优秀的男人。所以，请你自己安排时间，办完这些事，办好一件，自己打个勾，都打了勾之后，我就给你颁发神秘大奖，好不好？”

老哥边看列举的事情，边听我说着，看完后大笑着说：“好吧，冲你的神秘大奖，成交。”

后来，老哥开始处理那些事，在这张纸上打着勾，勾还没打完，我那对朋友就来了。我的女友听了，大为所动，他老公更是唏嘘感叹地说：“你看，‘治理’男人有技巧的，你呀，整天就爱跟我啰嗦。”

后来，我那女朋友说：“我一唠叨就想起你那小花招。”

老哥之后果然拿着那张打满勾的纸来找我，我那恭候多时的神秘大奖也就堂而皇之地到了老哥手上。

最近，我发现有个女朋友不断地向她老公提要求，财务上的、生活上的都有。事实上，她老公在她的抱怨和要求下成长了很多，但她自己并没有一起进步。

我很认真地对她说，女人要陪着男人长大，也要和他一起成长。当他进步的时候，你要为他喝彩，当他压力重重的时候，你要想办法给他减压，当他累了的时候，你要让他枕在你的腿上睡上一觉后，又神气活现。只有这样，长大了的男人才可能是你的男人。

有的男人终于在女人的抱怨声中长大了，但这个女人却已经失去了他的男人。为什么男人在40岁左右容易出现婚外情？这虽然是一个相对复杂的问题，但我近年来有一点观察心得。

40岁的男人，经过了工作和生活的长期洗礼后，终于成熟了，长大了，终于可以在工作和生活上大舒一口气了。但当他终于成熟的时候，妻子却从早已从他爱的世界里淡出。他在心里环顾四周，看不到妻子，却很容易看到另外一个女人，迎风向他走来。这个女人跟他的心灵非常匹配，有很多妻子所没有的特质，很容易进入他的心灵。

这时，他把妻子轻松地界定为"亲人"，而把另外一位女人称做"爱人"。这个爱人，很快就成为他心灵的支撑点。他通过这个爱人来发现自己，发现自己的激情，发现自己的生命力，发现自己爱的能力。这个爱人，其实是他心灵的突破口。

于是，在这时候的男人看来，他的生命在另一个女人，另一个领域里升华了。他非常需要这个女人，他的这种需要，难以被一纸结婚证书去规范，更难以用道德束缚。哪怕抬出"责任"这个颇有分量的词，也用处不大。他可以因为责任不离婚，但难以因为责任不去爱别人。

所以，哪怕需要长期在谎言里去爱，他也愿意。这时，他需要这份感情，就如同需要赋予自己40岁以后的生命以意义。

男人爱的世界里如果没有妻子，孤寂不会持续太久。女人要经常审视自己的内心，审视爱人的内心。"你的爱人正爱着谁？"如果不能快速地回答这个问题，可能就有潜在的问题，或许问题早已存在了。

我跟女友们这样讨论的时候，其实是在提醒自己。我喜欢这样边讨论边清理自己，提醒自己和老哥一起长大。

第九章　男人要从容

他是一个纯粹的人，他从不为任何事情着急。他最爱回家，做起饭来总像美味实验室要推出重大发明。他致力于搞笑，逗我们发笑是他最大的成就。

1. 一个纯粹的人

我生得晚了点，没法像许多比我年长的人一样，对毛主席语录倒背如流。老实说，我现在所能记住的毛主席语录，可能不超过 10 句，但“一个纯粹的人，一个脱离了低级趣味的人”这句，却常被我在心里偷偷用着。我不记得毛主席他老人家是用来说什么人或什么事的了，但我常用这句在心里评价老哥。我猜闺密玛亚常说老哥“是进化得很好的一个人”，也是这个意思。

我不知道说一个“奔四”的男人单纯，会不会让人费解，但老哥内心的纯净、单纯，总让我想起深涧里的小溪。他不曾对任何人有恶意，也从来没什么杂念。他心地善良而正直，澄净而清亮，能让人一眼看到底，如同清澈的小溪。

我没有办法计算这种人格的力量，但也绝不敢缺斤短两。

老哥没有任何不良嗜好，所以他经常说自己“不爱抽烟不爱喝酒，不爱打牌不爱泡吧，只爱老婆和孩子。”当然，老哥另有所好。

他爱看书和读报。他把法律专业书看得非常娱乐和休闲，他把建筑、电影、财经等八杆子打不到一块的书放在同一天来读，他去一趟八卦岭图书批发市场，回来就高兴得像中了头彩。他任何时候一看到书店，就想一头钻进去，就像臭美的我路过鞋店。

他说：“书这个东西太好了，人家可能是一辈子的思考、一辈子的经验、一辈子的智慧，我们只需要花上几十块钱，花几天时间，就能吸收到，多划算呀。”

我经常无所顾忌地问他一些无比白痴的问题，他回答完之后，假装环顾左右一周，低声说："嘘，妹，这话你只能问我啊。"然后哈哈大笑。

老哥找到本好书，会兴奋上几天，还经常把他认为值得一看的书推荐给我，极力进行推销。那语气，真让人怀疑卖掉此书他可以提成50%。老哥对书的痴迷，其实超出了书的内容，他说："只要一卷在握，哪怕不翻一页，心里都觉得踏实。"

老哥还爱看电影，其实是淘了好碟回来，在自家当宝贝似的看。我们家有一个大书柜，专用来放影碟。他只要一站到碟柜前，看着一张张从四面八方淘来的好碟，脸上的表情，就像有的人看到自己存折上的数字在飙升。

老哥看电影不只是娱乐休闲，一部好的电影他会看很多遍，从情节、对白、摄影、音乐、服装、细节等多方面去研究，俨然一个专业影评家。为了看懂电影，他买来像牛津字典一样厚的《电影的故事》、《电影类型与类型电影》等专业电影书籍，极其认真地看，就像在备考第二学位。

他说："电影能打动人的太多了，电影里有太多的人生。经典的爱情、变幻的历史、战争的风云……电影最能表现生命、表现生活，也最有艺术感染力。每一部传世之作，一定有许多值得吸收的精髓，有我们可参照的人生哲学。有很多电影，虽然是七八十年前拍的，却到现在还能打动人的心灵。"

所以，老哥喜欢在晚间第二节课，和我一起看碟。看完碟后下楼去花园里走走，一起进行影评。对很多经典电影，我们的影评时间都在不知不觉中，而不仅仅是影碟的播放时间。

记得有一次看《日瓦格医生》，我们在沙发上卧看三个小时之后，非常感动，为里面的人物、情节、场景、摄影一直感叹着。虽然已经是一点多了，但既然兴奋得没法睡觉，不如到花园里去走走，边走边评。

那天晚上，月亮特别圆。我们边走边热聊着这部经典巨片，两个人急急忙忙地发布着影评，最后在花园里走了一个小时。终于累了，在桥边的木凳子上坐了下来。我就势躺在了木凳子上，枕着老哥的腿“保持联系”。

我仰躺在老哥的腿上，透过老哥不断唏嘘感叹的脸，看着皓月当空。不知道过了多久，一名保安走过来了，厉声问：“你们从哪里进来的？”我和老哥突然惊醒，站起来：“啊？”这时，保安认出是我们，赶紧说：“不好意思，我在巡夜，还以为是外面的三无人员，混进我们小区了，现在都3点了。”

老哥的一技之长是摄影，这也是因为在老哥的兴趣和爱好中，只有摄影有点技术含量，至于这一技到底长不长，嘿嘿，回避。

不过，老哥拍的片子，总有某种专业人士捕捉不到的灵感，这也是理所当然，因为我和贝贝几乎不给别的专业人士以机会。老实说，在构图上，老哥确实有令粉丝我崇拜的地方，他细致、有耐性，有时会有令人怦然一动的发现。

2. 有一种力量叫从容

“脱离了低级趣味”的老哥，内心不但单纯而且从容，这种从容有一种力量，一种悠然处世的定力。同样面对衣食住行，同样面对工作、生活，同样面对老婆孩子，老哥从容、淡定，很少着急。

2000年，当我们买新房、装修新房、生贝贝，三喜临门时，好不容易攒够十来万块钱的老哥说：“好吧，传说中一分钱掰成三瓣用的时代，终于来了，得好好体会一下，据说难题总是第二天早上就不见了。”

那一段时间，他奔波于医院、建材市场、正装修的新房之间，累得像只被不良主人终日使唤的驴子。有一次，他在我身边刚一落座，就睡着了。15分钟以后醒来，他惬意地伸了个懒腰，非常满足地说：“这一觉睡得好好啊。”

老哥总有种泰山崩于前而不惊于色的心态。

贝贝出生后，刚从医院回到家的那一段时间，不知道为什么，没有来由地哭，我和老妈急得不行。每当这时候，老哥就把贝贝抱过来，非常冷静地检查她的眼睛、嘴巴、肚子、尿片等，发现都没有问题后，他就把贝贝抱在胸前，边拍她边大声说：“贝贝，我是爸爸，贝贝，我是爸爸呢。”好像年方十来天的贝贝，知道是伟大的爸爸抱着她，就会给个面子，乖乖地不哭了似的。

老哥叫着拍着，发现贝贝终于不哭了时，就把贝贝还给我们说：“贝贝想爸爸呢，所以哭了。”然后他对哭累了的贝贝打趣地说：“这有什么，想爸爸就直接说嘛，别哭啊。”手足无措的我们看到老哥突然变成了医生，也就放下心来，一笑之后，仿佛问题就解决了。贝贝几天之后，也就乖乖地习惯了有家的感觉，就算“想爸爸”，也不再哭了。

无论工作还是生活中的问题，老哥都轻描淡写地一句“这有什么”，就从容对付了。

小女子在外面“闯世界”，不可避免地碰到不容易解决的问题。慢慢地，我养成惯性，碰到问题，第一个念头就是回家找老哥，所以，当我在街上看到“有问题，找巡警”之类的告示牌时，每次都想笑，我的“巡警”可不就是老哥？说来奇怪，每次当我把问题带给他，他总能三下五除二搞掂，当我夸张地要表达崇拜之意时，老哥总是非常开心的一句:“哎呀,我是你哥嘛!”

哪怕是在我看来很大的难题,他沉默几分钟后,也就举重若轻地找到了答案。渐渐地,曾经性子比较急的我,被他感染,变得安静而从容;渐渐地,我也会张口即来:“没什么大不了的”。

男人在家就是天。男人一着急,天就会塌下来。男人一发愁,女人就下雨,天空就不再有欢乐,家就布满阴霾。男人只有从容,才有顶天立地的悠然,才有心灵的强大。男人只有强大,才能击中女人骨子里的温柔,才能使女人产生心灵上的信赖,这种信赖,又会反过来推动男人更加强大。

当我认识到老哥的强大时,也就是相信了他的一切。我甚至逐渐相信老哥做的任何选择。

这么多年来,老哥用他的从容和智慧,逐渐令我相信,他做的任何事情都是正确的,甚至认为他做的任何事情都比我做得好,大到投资决策,小到日常琐事,哪怕是抹地这种女人本应占优势的事情,我做得显然都不如他好。有时候,我不得不假装委屈地自嘲:“咳,我这个女人,简直没得混了。”

是什么让我对老哥渐渐“迷信”?“迷信”他做的任何事情?经过苦思冥想后,我得出结论:首先是因为被他的“从容”收买,接下来“智慧”又做了帮凶,然后形成了魔鬼般的强大力量,让我心甘情愿地降伏于他的心灵,来享受那种无比平和的生命力量。

3. 一个爱回家的人

老哥曾这样对贝贝解释“天堂”:“我们家就是天堂,天堂就是我们家”。他脱口而出地解释“天堂”时，其实是在解释他心中的“家”。我们从此知道，他是多么享受我们的家。

老哥曾对我说：“你如果回家，我就兴高采烈地要回家和你玩，你如果不回家，我想着贝贝没人陪，就要回家和贝贝玩。”所以，老哥几乎每天晚上都回家吃饭。

这听上去有些不可思议，谁都知道，干律师这个行当的，晚上的应酬一定会多。要争取案源，要应酬客户，要分析案情等等。但老哥这个律师不会，他很少晚上在外面吃饭。

老哥的沟通方式一直比较特别，要么去他办公室谈，要么一起喝杯咖啡。实在不行，一起吃个工作午餐。他说：“做律师要靠专业上的实力”。久而久之，他的客户们都知道了他的风格，慢慢地受他的影响，并且开始欣赏他的方式，戏称：“此人不吃饭。”

虽然没有“请客吃饭”，但老哥和他的客户们却成了很好的朋友。

老哥说：“其实现在很多人都被‘请客吃饭’所累，请和被请的人都恨不得所有的酒楼都关门大吉。”

在上个世纪90年代，深圳流传着“革命就是请客吃饭”的论调，但是，当人们走过躁动的时代，吃过浮华的盛宴以后，家常菜变成渴望，家庭的温暖变成向往，深圳人，开始成熟、安静了。“革命”又回归本质，不再是“请客吃饭”了，商务合作中，“专业性”、“服务质素”成为达成合作的决定性因素。

老哥常说，家里最自在，最舒服，最轻松。他在家看着书、读着报、研究着新淘来的碟、上网浏览着新闻逛着论坛、听着经典音乐，都感觉无比地享受。他的快乐也常常感染着我们，我们的家就充满欢乐的气氛。

我有时晚上才去报社编版，他白天没啥要紧事时，也常和我在家“鬼混”。为了我的午餐问题，他经常找各种理由不去律师所上班，然后得以和我共进午餐。有时我们把剩饭煮成菜泡饭，或做成蛋炒饭，有时下点面条或吃面疙瘩，有时去山姆买来牛扒，煎好在自家阳台上吃，还有的时候，我们出去找点浪漫。

老哥只要在家，他情不自禁地哼着的歌，就是王菲的——“一切都好，只缺烦恼”。我有时会想，老哥爱家，莫非是天生的？

4. 老哥在家是个大忙人

在工作上，从不见老哥有多忙，但在家，他却是个大忙人，老哥在家几乎一刻也不会闲着。他忙起那些家常琐事来，我们家就成了创意产业园，连最平常的小事，似乎都得有相当的智慧含量才搞得掂。很少有人会像他那样，把家务事做得如此得意，又如此富有创新精神。有些小事情，被他做起来，简直严谨得一塌糊涂，不亚于科学实验，多一点少一点，问题大了去了。

老哥在家偶尔会做饭，总像是美味实验室要推出重大发明。他用一个个被我们扫光的盘子，来宣布发明的市场价值。

老哥抹起地板来，要么笑称自己是“灰姑娘”和贝贝套交情，要么给自己颁发最具专业特质的清洁工奖，要求我奖赏个吻之类的“以资鼓励”，然后边哼着歌，边得意地欣赏着自己的抹地杰作，俨然一位雕塑家在炫耀自己的伟大作品。

给几个阳台的花花草草浇水、剪枝时，老哥总会声称自己这辈子最想干的活，就是当园艺工程师。

我有时在家，半天也想不起要干啥，但老哥永远都能找到事做。他把贝贝的画装裱装裱挂在墙上；把书柜整理整理，找出最近想再看的书；将家里的花移个位，找点不同的感觉；实在不行，他把抽油烟机清洗一遍，以此来换我骗他一句："啊？咱家换了新的抽油烟机？"

奇怪的是，对于那些家常琐事，老哥做起来总是甘之如饴，自得其乐，还总有研究报告发布，就连洗碗、装饭等事情，他都能讲出一套套的技巧。

我常边洗碗，边听他隆重地介绍着洗碗操作规程，然后取笑他："老哥，你为什么不写一篇有关洗碗的论文呢？"或者调侃他："老哥，你如果写一本《家庭琐事技巧大全》，绝对畅销。"

老哥总能把那些无聊的琐事，说得无比生动。我们俩经常边洗碗，边在厨房里大笑，惹得贝贝循笑声而来，一定要加入我们有趣的洗碗游戏中来。他完成类似洗碗这样芝麻大的小事，跟推动他所负责的公司开展资产重组的态度一样，有条不紊、层层推进，最后终成正果。

家里事无巨细，老哥都喜欢上心。如果在律师所上班，他突然发现下雨了，必定一个电话打回家里，提醒关窗户。他去一趟山姆会员店，一个小时就能买下我们一周所需的日常用品，家里什么洗洁剂、餐巾纸之类的东西有没有，他全知道。

有时我真担心老哥脑袋里装的东西太多，一不小心会像气球一样爆掉。他要做律师，那些投、融资项目，挺伤脑筋的，还经常出入法院、仲裁委，办一件件复杂的案件。

我有时叫他有些小事不用管。他认真地说："我没有大事，只有小事，也可以说，没有小事，只有大事。应该做的事，都是大事。"

在老哥看来，下雨的时候，打电话提醒家里人关窗户，和确认第二天案件的开庭时间，一样重要，一样都是大事，也一样都是小事。

他说："工作也好，事业也罢，转个弯回来，还不是为了家？不是为了自己和家人更幸福、更快乐？"

5. 逗我们发笑是他的成就

我和老哥总被"双面胶粘住"，有80%以上的时间都粘在一块，形影不离。

老哥说："一丈之内才叫夫，所以叫'丈夫'，我必须得履行做丈夫的职责，保持跟你在一丈之内的距离。"他总是张口即来地把我逗笑，我只要一笑，他就开心。我们这样粘在一块许多年，总也不腻，一直都觉得彼此是最好玩的人。

和我们在一起时，老哥总致力于搞笑，奇怪的是，他并不费劲，要不早疲劳了。他用自己的方式幽默着，随时都能把我弄得爆笑。

和他乘电梯下楼去散步，他会在电梯里挤眉弄眼一下，或者扭动扭动身子，来个怪动作，还有时会伸出手臂，挡住电梯里的摄像头，亲我们一下，再对着摄像头来个鬼脸，说："我什么也没干啊。"

我和老哥不在一块的时候，常发信息或打电话联络，他发的信息总把我乐翻。有时啥事也没有，他就发"妹，我爱你！"或"乖乖，你在哪里？"当我回来说到他的信息时，他赶紧问："那你笑了没有？你笑了没有？"只要我说"笑了"，他脸上就像办完了一件超棘手的案子，飞扬着成就感。

有一天晚上，他跟客户有个迫不得已的饭局，到了7点半，我发信息给他："哥，在哪？估计几时回？"他立马回复说："在宝安，客未到，菜未点，人已饿，吃了饭，交了货，就拜拜。你别急，我想你。"他后来真的九点钟就回到了家，我说他的“三字经”太搞笑了，他马上认真地问：“你笑了吧？我边写边笑的，想让你笑一笑嘛。”

去年我和闺密杨杨在巴厘岛玩疯了，几天下来根本没打电话回家，老哥发的信息也没听到。

这当然得怪杨杨，如果我是江湖上某门派的掌门人，如果我老了实在统领不了这个门派了，如果我得找一个人来接管我的门派，那这个人，必定是杨杨。因为这家伙比我小那么多，又那么像我。在巴厘岛的那几天，臭味相投的我俩玩得昏天黑地，把所有的一切都扔到蓝天碧海里了。

有一天晚上，我收到老哥这条信息：“妹，将来我们去海边，中午吃完乳鸽有地方睡觉了，傍晚游完泳不用再往市里赶了，东部华侨城玩了一天可就地睡大觉了，因为哥今天在海边买房送给你了，怎么样？送大礼了，请笑纳吧。”我大笑着读出来，跟杨杨开心地“笑纳”了。回来之后说到这条短信，他忙问：“那你笑了没有？我不搞笑一点你就不理我嘛，一个电话也不打回来，哼哼！”

老哥还有一项搞笑本领就是顽皮，他的顽皮总让我们笑得东倒西歪。

老哥和贝贝一起玩时，完全就像两个同龄的孩子，两个人超有共同语言，玩起游戏来特认真。他总是边和贝贝玩着，把贝贝逗得大笑，边偷眼看看我笑没笑。

老哥常跟贝贝学芭蕾舞，他总是伸出粗壮有力的老胳膊老腿，拼命做着轻盈的动作，让我和贝贝肚子笑痛。他跟贝贝学在幼儿园流行的民间段子，总被贝贝骂“你怎么这么笨呢”。贝贝常常边笑边说：“从来没见过这么搞笑的爸爸！”

老哥甚至害得我也变得顽皮。有时我们俩起个床就要顽皮上半个小时，边玩边搞笑。我有时吊住他的脖子，让他把我“起重”，结果几个回合下来，不但吊不起我，连他自己也给牺牲了。他有时要求我“亲死”才肯起床，我常要求他说 10 声“我爱你”才挪窝。

有一次，我好不容易起床以后，忽然发现他翻了个身，又趴下了，问他怎么不起来，他说：“我不敢面对生活，只想面对床，舒服。”

玛亚总对我说：“你是阳光，见你得擦防晒霜，还得高倍数的，超贵的那种。”她指的是我的快乐指数，和脸上的幸福光泽，我想，这笔费用只能算在老哥账上。我的阳光，都是因为有他这个太阳。

6. “我的特长是会找老婆”

无论是只能吃 5 块钱的晚餐，还是吃高档的王品西餐牛排，老哥总是很满足。

他经常穿着上个世纪 90 年代的衣服。当我提出那些衣服穿得太久了，得去给他买些新衣服时，他总是扯着那些上了年纪的衣服得意地说：“这衣服 96 年才买的！”或者说：“这衣服多好，10 年还像新的一样！”

除衣服外，他对所有的东西都比我们懂得爱惜。他看书时不舍得折角，不舍得在书上划线、做笔记。他收起影碟来，绝不会让手或别的东西碰到数据面。家里的杯子、碗、碟之类易碎品的破坏事件，从来没他的份，不会因为他而“光荣”掉。

老哥在任何东西面前，都有一种平和的谦卑，有一种连他自己都感觉不到的虔诚，一种生命情怀。似乎任何东西都被赋予了生命，在他的世界里，永远被尊重。他买回来的东西，怎么看，怎么喜欢。他一旦买回来了什么，接下来要做的事情，必定是从多方面论证这东西的好。

所以，我这个满身都是缺点的老婆，总被他当成掌中宝。他常宣扬说："我的特长是会找老婆，可惜这特长再也没法发挥了。"老哥说起我的好来，总让我脸红心跳地疑心他说的是不是另外一个人。他为了说明自己的老婆是"天下第一"，从不说别人坏话的他，不得不以诽谤的语气评论着别人的老婆。

有一天早晨，一个平常而意识混沌的早晨，老哥先醒来了，他的大鼻子逐渐靠近我的鼻子，然后一下下地拱着我，挠着我，我故意不睁开眼。

他盯着我看了一小会儿，笑了，然后，用双手捧着我的小胖脸，亲了一下我毫无反应的嘴唇，然后嘴里极其轻微地喊出一声："宝宝——"他似乎想叫又不忍心叫，声音低得显然是叫给他自己听的。

这时我的心里澎湃着一个巨大的疑问："天啦，是什么让他这么毫无理由地爱着我？"这一刻，我傻愣愣的，并没有美感，呆笨笨的，绝不可爱。但老哥不需要理由，也没有形式。他只是爱，他就是爱。

我常常想起著名的电影《音乐之声》里，上校对玛丽亚表白之后，玛丽亚反复地、深情地唱着："我一定是做了什么好事，使得我有这般好运……"是的，我一定是做了什么好事！我越来越清醒地意识到，人可以很平常，而爱可以很神奇！

为了实现分享的快乐，他常讨好地问贝贝："你有没有觉得，你妈妈比你的朋友们的妈妈都棒多了？"贝贝也许继承了我的客观，想了想，回答说："这个嘛，我又不知道他们的妈妈棒不棒。"过几天，老哥可能又会问贝贝："你有没有觉得你的妈妈，比你的朋友们的妈妈都美多了？"贝贝在这一点上，可能永远无法跟他的老爸达成一致："有时候吧，妈妈有时候也蛮丑的，她有时候穿得黄不拉叽的，就像从烂泥巴里出来的一样。"

我和老哥有一次分析着朋友们的优缺点，评论着这个适合干什么，那个适合干什么。我问他："我呢？"他脱口而出："你呀，当个纽约市长都是大材小用！"最搞笑的是，他完全是认真的！他这样想，居然就敢这样说，好在没有别人听到。

对我们的女儿，老哥也是一样，他经常抱着贝贝"爱得牙齿打颤"，那骄傲的神情，就像他拥有了整个世界。

贝贝 6 岁多了，情商发育得不错，非常懂得爱和美，性情平和而温柔，拥有善良和欢乐的心境，但几年来，我们都很少对她进行知识方面的教育。所以，当别的同龄孩子能立即算出 7 加 8 等于几时，贝贝连3加2都得把双手都用上。每当这时候，老哥总是鄙夷不屑地说："算术算什么？情商才是一辈子都用得着的东西呢！再说呢，贝贝发展艺术去了嘛，瞧她的画！"

有时老哥也跟贝贝玩点数学游戏，假装开店，买卖东西。贝贝每次亏得一塌糊涂，因为她不会找钱。老哥跟我描述贝贝面对数学的懵懂时，那个开心样，就像是不懂数学，反而是一件无比光荣伟大的事情。

有时我跟老哥说贝贝说话的速度太慢。她说一个词语时，把第一个字吐出来后，中间好像要睡上一小觉，才听到另一个字。由于说话速度实在太慢，她甚至经常忘了接下来要说什么了。我说贝贝在这方面得训练训练，没想到老哥说："贝贝大概是在训练自己吧？你没看到咱们现在的主席和总理，都是说话很慢的？"看我狂笑，老哥过两天又找出另外的依据来："《圣经》上说，世上最追不回来的有三件事：射出的箭、说出的话和失去的机会。贝贝边想边说，显然是要确认想说的话嘛。"

实在没办法，反正只要成为了他的，就一定是最好的。

7. 老哥从来笑称自己是"有钱人"

关于"有钱"，老哥的理论是"钱没用完就是有钱，还有钱的人就是'有钱人'。"所以老哥从来笑称自己是"有钱人"。

刚到深圳时，我们只有借来的2000块钱，他也说："我们有钱"，在拿了几个月工资，还了2000块钱的债之后，老哥当然更加这么觉得。

那时候，他偶尔会拿我们俩的工资存折一加，然后很得意地说："哇塞，我们这么有钱。"我还发现他在有一万或十多万，到后来有更多钱时，语气、表情都一样。

这种"有钱"观直接影响他的赚钱观，也许从来觉得自己是个有钱人，所以他对赚钱从来不着急。在深圳，每个男人应该都很想挣钱，但老哥不怎么着急。

我经常在早晨问他："老哥，你今天干嘛？"他有时说："先在家喝上一杯茶，再决定东西南北中。"有时纯搞笑："没事，开车去深南路转转，看有钱捡没有。"有时很严肃："北朝鲜居然搞起了核武器试验，我去帮领导人想想中国该怎么办。"也有正经点的时候："上次那案子办完了，发现有太多东西要学了，今天要去所里好好看看资料。"

还有一次，有一个当事人从网上找到老哥，想让他代理一起纠纷。标的还不小，算起来可以收好几万块钱的律师费，但老哥考虑来考虑去，最终劝那当事人不要打这官司，因为据他分析，官司虽然能

老哥自制卡片的封面。这卡片成了我的幸福藏品。我们后来常开心地扮演这两棵树，只是怎么也不太像。

赢,但很难执行,可能赢了官司却收不到钱,还要倒贴律师费。那当事人听了很感动,最终放弃了打官司。

我问他:“你没想过先收了几万块钱再说?反正你能打赢官司。”他说:“做律师是一辈子的事,不能这么急功近利,做律师最要紧的是真正站在当事人的角度上去考虑。”从那以后,那当事人或朋友有任何法律上的事务,都委托老哥来处理。

后来老哥总结说,赚钱越不着急,定的赚钱计划越低,就越从容,越从容,就越容易赚到钱,所以他每年实际赚到的钱总比计划的多。

他说赚钱太着急,就会让人焦虑,一焦虑心里就不安宁,内心不安宁就会影响大脑运转,影响生活质量,赚钱是为了改善生活,如果降低现有的生活质量去挣钱,那钱就白挣了。

他的不着急,也影响着我。在他第一年辞职出来做律师时,我对他说:“今年主要是学着做律师,不交学费就算赚了,今年不许赚钱,我们手上的钱足够花两年了。”结果到年底的时候,他说:“没想赚钱怎么也赚到钱了呢。”

老哥有时说我对钱也没概念,当他回来汇报说:“今天帮别人写了份合同,赚了3000块。”我很高兴地说:“哦,好啊,这么多呀。”而当他办完一个较大点的案子,得到10万块律师费后,喜滋滋地对我说时,我也说:“哦,好啊,这么多呀。”他发现我没能回应他“赚大钱”时的高兴,会怪我说:“怎么你都一样的反应啊。”我就只好补充说:“哦,恭喜恭喜。”

在花钱上,老哥属于古董级的保守派,只花属于我们的钱,从来不用信用卡透支。

我们经常嘲笑自己像一对古板的老人,当我们钱罐里攒了点钱时,我们俩就捧着罐子商量着去买点什么,买完之后又开始攒钱,发现又有一些钱时,又商量着买点什么,哪怕是买房、买车这种大宗消

介绍一下，这是我的爸爸，我的爸爸不是属鸡吗？我属龙，但我不会画龙，所以只好把自己画成一个人了。

费，我们几乎都沿用着这种古老而朴素的花钱方式。而不是像很多人一样，有了钱后，想办法投资让“钱生钱”。

我们当然也希望有更多的钱，但是通过比较激进的投资，很可能会影响我们的心境，影响我们的幸福感，影响我们现在的生活质量，我们曾经就有过深刻的教训。

自从 2001 年从股市败出后，我们没再进去过。这几年来，我们几乎错过了所有大好的投资机会。

什么东西都不可能一古脑儿得到，我们不觉得自己能够一方面享受宁静，一方面又在资本市场赚得盆满钵满。所以我们宁愿算算自己的钱，对自己说：“我们的钱还没用完呢，我们有钱。”

我们一直认为，有钱的价值在于，无须再过多地考虑钱，无须再为钱焦虑,无须再为钱担心。用手中攒的钱,去买想要的东西,然后享受这些东西,希望有钱能带给我们这种自由。不喜欢有钱了,反而为钱所困,为投资回报担惊受怕,为亏损痛心疾首。

更何况,我们对钱本身没有追求,对数字没有追求,不刻意攒钱,我们所有的钱都用来消费,用来提升现有的生活质量。除了给贝贝留出基本的教育费以外,我们不会给她攒钱,更不会在将来给她留什么遗产。她要像我们一样,靠自己,我们相信她会做得更好。其实,如果所赚的钱只用来解决生活需要,那并不需要多少钱就能过上自己想要的日子。

我们也只会想要我们够得着的东西,不会去奢望离我们还比较遥远的东西,不希望用那些够不着的东西烦恼自己。就算是买来了想要的东西,我们也更关注这东西所带来的精神满足,所提升的幸福感,而不是这东西所花的钱。

有一回贝贝过生日,老哥买了一对 SWATCH 的情侣表做我们的礼物。这对黑色的、单薄的、塑料的时尚手表,花去老哥几百块大洋。他说贝贝的生日就是我们的纪念日,送给我时,表情极其隆重,像送一支几万块的名表。

贝贝的小朋友聚会搞完后,已经 10 点多了,我提议下楼去走走。老哥说:“咱们戴着新表下去秀一下吧。”我们戴着这块连中学生都不太瞧得来的手表,在小区人较多的路上走着,不断地一齐抬腕摸摸鼻子、耳朵和头发,以期路人能看到我们这块“高级”腕表。我们自扮 SWATCH 的形象代言人,在行人寥寥的路上搞笑地走了几趟后,我对老哥说:“哎呀,人流量太小了,下次咱们去东门或华强北吧。”说完后,两个人狂笑着回家了。

几天后,我去五洲宾馆参加一个较大型的新闻发布会,回来时,老哥非常认真地问我:“那你戴了那块表没有?”我连说:“戴了,戴了。”终于等到人气旺盛的场合,我能不戴吗?老哥送给我的礼物,我有机会表示珍爱,能不用吗?

那天,一位同行好友眼尖,看到我戴着这块表,说:“哎,你还挺怀旧的嘛,还戴着学生时代的手表。”我说:“不是啊,前几天我老哥才买给我的礼物呢。”她脸上一副打死都不信的表情,我却不时地举着那只戴着SWATCH的手,在新闻发布会现场举手提问。

对于我来说,两三百块的手表和几万块的卡迪亚表,没什么两样,一样可以看时间,一样承载着老哥的爱。

幸福,不是由钱来决定的,生活质量,不是由钱来决定的。当我们吃着5块钱的美味佳肴的时候,吃着藏在灌木里的荔枝的时候,我们像现在一样开心。钱,不应该主导生活。

从借来2000块钱,一人拎一个包来到深圳,到今天可以衣食无忧。回首这10年,钱的增加,从来没有令我们骄傲过。但是,我们的爱,一直令我们骄傲。

我们一直住在天堂,钱没有帮上过什么大忙。

第十章　这个公主不好对付

感谢上帝，给了我们可爱的贝贝，可是，您为什么不告诉我们，如何去做爸妈呢？

1. “亲死你”

贝贝一点点长大了，对于她的教育，开始成为最重要的事。好在我们从来没有把对她的教育当成一件事情来做，我们只是跟她一同成长，在成长的过程中如果发现机会，把几个理念渗透给她，比如“爱”、“美”、“快乐”和“善良”。

在很早以前，我有幸记住了一个美国教育学家的一句话，他说：“一个人最重要的性格力量是自信，而自信最基础的来源就是父母和家人的爱。”我用他这句话对照了一下自己和身边的人之后，非常认同这个观点。

当贝贝来到我们身边时，我们决定给她无边无际的爱。用她的名字，用胎毛笔，用一切可用的情境，来传递对她的爱。

我们随时随地地跟她说“我爱你”，我们亲她的时候发出的各种夸张的声音，拥抱她的时候，总是情不自禁地牙齿打颤。我们常跟她玩“亲死你”的游戏……我们不放过任何一个向她表达爱的机会。

我们除了向她表达爱以外，对家里其他人也表达着深爱，并刻意让她感觉到。我和老哥从不避讳地在她面前拥抱、亲吻，老哥常在她面前背我、抱我、哄我。我们清楚地记得，当年我们保守的父母，在我们面前偶有亲热举动的时候，我们心里曾有过极其特别的甜蜜。

我们也教她去爱，去表达，去向每一个爱她的人表达她的爱。贝贝常说爱我们爱得“四脚朝天”、爱得“横七竖八”、爱得“咬牙切齿”，她混用着那些她认为很厉害的成语，来表达着她“很厉害”的爱。

一个人爱的能力是天生的，只是后来世事变迁，环境改变，慢慢变成爱无能。一个人表达爱的能力也是天生的，只是因为表达爱的

家要上演“欢乐颂”

次数越来越少，这种能力就慢慢退化，逐渐难以启齿。

我们用心地呵护着贝贝爱的能力和爱的表达能力，竭尽所能让她懂得人生最重要的这个字。

2. 对爱“过敏”

贝贝在这种爱的氛围里成长着，慢慢地，我们欣喜地发现贝贝对爱非常敏锐。

去年冬天的一个下午，我在书房写稿，老哥去接贝贝放学。

不一会儿，贝贝急匆匆地走进我们的衣帽间，边喊，边往上跳着取老哥的衣服：“妈妈，快过来帮我一下，我拿不到！”我走过去问她要拿什么，她语气非常严重地说：“下雨了，伞太小了，爸爸抱我回来的，他为了保护我，自己的衣服都淋湿了，我要让他一进来就立即换上干的衣服。”我听了很感动，赶紧帮贝贝拿下老哥的干衣服。她一把抱过去奔向爸爸，边跑边喊：“爸爸，快来换上干衣服！”

我看着她一溜小跑过去的背影，很欣慰。有些小孩可能根本看不到爸爸的衣服湿了；就算看到了，也可能没感觉，不会认为是为了保护自己而淋湿的；就算知道是为保护自己，也不会那么着急地要回报爸爸的爱。而贝贝，能感受到这种细致的爱，并且知道感恩和回报。

还有一次，我头疼得厉害，吃完晚饭后就独自躺到床上了。过了一会儿，贝贝来找我，她见我躺在床上，不声不响地爬了上来，坐在我的枕头边，她先弯腰轻轻地亲了我一下，然后坐到我旁边，静静地坐着。过了一小会儿，她开始用小手非常轻柔地摸我的额头，摸我的脸。天气有点冷，她在用手摸我脸之前还将两只小手搓几下，就像我在她睡前摸她的脸一样。

我闭着眼睛听到她搓手时，心头一热。她嫩滑而温暖的小手一遍遍摸着我的脸，真像天使之吻，我没说什么，只是静静地享受着她的爱。

过了十来分钟，贝贝的大姐来了，说："贝贝，我们下楼去玩吧，让妈妈休息。"贝贝没有动也没有做声，大姐又说："去吧，反正你这样坐着也没有用啊。"贝贝马上大声说："怎么没用呢，我坐在这里陪着妈妈，妈妈就知道我很爱她嘛。她心情好了，病就容易好嘛。"

还有一天晚上，我突然嗓子疼，讲起话来很艰难。我和老哥去跟贝贝道睡前晚安时，对老哥说："得去买点药才行。"

贝贝一听，马上从床上跳将下来，说："妈妈，我陪你去。"

并排走在去小区药店的路上，贝贝很隆重地用双手捧着我的手臂，时不时用嘴亲一下，看一下我的脸，亲一下，看一下我的脸，眼神里满满的都是关切和心疼。50米远的一段路，她用小嘴亲了我的手臂十多下，边亲还边对我说："妈妈，我说话给你听啊，你不用说，要不你嗓子会疼的，你可以点头或摇头，但不可以说话。"

于是，一路上，听着她搜肠刮肚地说着幼儿园的笑话，感受着她不断地亲我，我只是浅浅地笑着，偶尔乖乖地点点头，而心里的感动，无法言表。

在药店买了两小盒药，店员把药递给我时，她一把抢过去，说："我来拿，我妈妈生病了。"那店员很吃惊地说："天啦，宝贝，你好爱你妈妈哦。"贝贝听了很甜蜜地笑着。

上学前班的贝贝，对已经学过的拼音一知半解，在数学上也比那些反应很快的孩子懵懂些。但他们班主任陈老师说，贝贝会在老师看小朋友们的作业时，一声不吭地把一个个作业本翻到老师要看的那一页；会在老师蹲下来洗小朋友们的杯子时，把板凳轻轻塞到老师的屁股底下。老师们跟我说这些时，非常感慨。

我们总是为这样的故事，为这样的贝贝而骄傲，而不管她会背多少首唐诗，拼音默写得了多少分。我们知道，那些，她迟早都会的，而爱的引导，父母需从上帝那里尽快接手。

3. 家要上演欢乐颂

“今天大家有什么开心事啊？”每天晚饭开吃之前，我都会这样发问。然后我们边吃饭边说这一天的开心事，一个一个轮流来说。这是我们家的“例牌菜”。我想通过这样的“例牌菜”，为贝贝，还有家人，培养一种快乐的能力。

为什么同样平淡的生活，有的人过得有滋有味、怡然自得，有的人过得唉声叹气、索然无味？我认为这是每个人的快乐能力不一样。

有的人习惯从悲观的一面去看待事物，看不到生活中的种种美好，就算有，也觉得没什么，或者觉得那一切都是应该的，不会为此感到欣喜或快乐。而另外一种人，凡事从乐观的一面去看，很容易发现生活中的各种美好，一点小事就能让他兴高采烈，在他身上或周围，总有一种欢乐的气氛。

我从每晚的“例牌菜”开始，培养贝贝、家人和自己的快乐能力。开始时，大家都说不出什么开心的事来，说得也很生硬。比如我说：“我今天写了一篇稿，写得很顺畅，觉得自己还挺能干呢，所以很开心。”老哥说：“我今天交了新朋友，感觉很开心。

慢慢地，我们知道为这道“例牌菜”准备一两件开心事了，大姐会说:“我今天在网上看到一个笑话,我讲给大家听啊,一定要笑啊。”二姐说:“我一个几年没见面的好朋友今天突然打电话给我,讲了我小时候的好多糗事,把我肚子都笑痛了。”贝贝说:“我今天被老师选做小老师,做同学们的榜样,要表现很好才能选上的,我很厉害吧?”我说:“今天下雨了,我开车回来的时候,看到没有红绿灯的斑马线旁,站着一个妈妈和她的小孩。我前面的车都没有停下来让他们过,我把车停了下来,让他们过去了。他们很高兴地向我挥手表示感谢。”

再后来,我们都能主动发现生活中的开心事了,有时候觉得开心事还真多。我们有时抢着讲,讲着讲着互相激发,想起很多开心事来,有时还会讲上好几轮,一不小心会喷饭。

晚饭后,我们常做一些小游戏,让家里充盈一种欢乐的气氛。

最常玩的是遥控器的游戏。

遥控器是虚拟的，把手伸出去假装按一下遥控器而已，就像对着电视机调频道，其实是用嘴巴说出指令，站在对面的人必须照做。叫你“笑”，你就得笑，有时“微笑”，有时“大笑”，有时“狂笑”。叫你“哭”，你就得哭，有“大哭”，有“抽泣”、“想哭又不敢哭”等等。再比如扮演第一次吃到芥末，第一次吃到美味的巧克力，发现掉了第一颗牙齿，被施了魔法只能一直跳舞等等，什么指令都可以，只要按遥控器的人想得到。

开始只是一个人表演，一个人下指令，其他人只管观看和捧腹大笑。后来规则改变，表演的人变成两个人或三个人，比谁扮演得最像，每个动作表演完后，最像的人得一分，高分者获胜，最后颁奖。我们常常几个人笑得在沙发上滚成一团。

还有什么追打屁股的游戏呀、枕头之战呀、趣味舞蹈之类的，反正都是自创的好玩的游戏。我们家每个人都有刷新游戏的任务，要为家里的笑声、为家里的欢乐出力，作为家庭欢乐颂的演奏者，每个人都要拼命快乐。

4. 3岁开始自己找乐

在一个习惯快乐的家庭里成长着，贝贝三四岁开始就能自己找乐。

有一次，她的好朋友嘉嘉约她去小区花园里玩，贝贝很爽快地答应了，准备挂电话时，突然又说：“哎，我们今天见面搞笑一点好不好？你到楼下来等我，然后躲起来，我假装没看到你，你跳出来吓我一大跳，怎么样？”嘉嘉大概在电话里同意了，贝贝放下电话时，露出诡秘的笑容，仿佛看到她导演的这出戏正在上演。

我和老哥听了相视一笑,也很关心后来的演出效果。贝贝回来的时候,我赶紧问她。贝贝边笑边描述说:“我下去的时候,嘉嘉还没到,结果我躲起来了,她走着走着,我跳了出来,把她吓了一大跳。然后我们俩笑得要死。”显然剧本临时改了,现场效果更佳。

贝贝一直喜欢听我们给她讲她小时候的故事,出生的时候啊、一两岁的时候啊,她都很有兴趣。每次她要求我讲的时候,我就要她点个时间,像在K歌厅点歌一样。她经常边听边评论说:“我小时候怎么那么搞笑啊?”

有一天晚上,我带贝贝出去吃饭,那天时间有点紧,我们俩等着上菜时,我催促了好几次,结果心情搞得有点坏。她饶有兴趣地说:“妈妈,你别着急嘛,我给你讲一个我小时候的故事吧。”

她边笑边说:“那天,医生把我从妈妈肚子里抱出来(贝贝是剖腹产的),我一看都是陌生人,你知道我有点胆小的嘛,就吓得大哭起来,然后护士阿姨就把我抱走了。抱出来给爸爸看,我一出来,发现很多人都在外面等着,有的人在抽烟,有的急得在走廊上乱走。我一眼就认出了我爸爸,因为他最帅嘛。然后爸爸跑过来一看,说‘哇噻,贝贝你这么漂亮,这么白啊!’我听了高兴得要死,因为我刚出生,还没有照镜子嘛,他一说我就放心了。不过护士阿姨只让爸爸看了看,就又把我抱到婴儿室去了。我到那里一看,整整齐齐躺了好多排baby,我冲他们大声打招呼:‘哇噻,你们都比我早出来啊’。他们听了,有的哭,有的笑,有的把手指塞到嘴巴里,吃得‘吧唧吧唧’地响。护士阿姨把我放到床上,盖好被子就走了。我躺在那里觉得很不习惯,心想,‘怎么没有我妈妈肚子里一半舒服呢,硬梆梆的,怪不得他们在那里哭咯’。不过我对自己说:‘没关系,这样长大了跳芭蕾时腰板才挺得直。’然后我好困,就睡着了。故事讲完了,谢谢大家。”

贝贝讲得很认真又很快乐，我听了一直狂笑，心里翻滚着说不出的骄傲。她发现我那一会儿不太高兴了，主动给我讲故事来排解。她讲得那么开心，那么生动，那么有想象力，很快就把我带入一种欢乐的气氛里了。

我们家的每个人都习惯为家里的欢乐来点创意，包括贝贝。

一个周六的下午，贝贝跟我说："妈妈，今天晚上由我来策划活动吧。"我立即说："好啊，什么活动？"她说："8点钟以后活动开始，你先去洗一大盘水果放在冰箱里，我晚上练完琴你就拿出来。"贝贝一副总指挥的口吻。

我马上按照她的指令准备了两大盘冬枣和柚子，放进冰箱冷藏起来。那天的晚饭，我们吃得有点神秘，因为贝贝要策划大型活动了，而且是首次，至于活动内容是什么，谁也不知道，只有贝贝一副笃笃定定的神情

晚上，贝贝非常认真地练完琴后，发话了："妈妈你把冰箱里的水果拿到书房的阳台上去，爸爸你把我房间放碟的那个机子也拿过来，大姐你跟我来拿抱枕，二姐你去拿毯子铺到阳台的地板上。"

好戏开始啦，她俨然早就想好，我们4个人只管执行这策划大师的指令。

都到齐了，她安排老爸放上音乐，指挥我们在阳台的木地板上铺上毯子，毯子上放5个抱枕，水果放在地毯中央，抱枕均匀地放在四周。

这时我们大致明白她的意思了，是要坐在阳台上一起玩。

大姐正准备一屁股坐到抱枕上，却遭到贝贝的马上制止，"大姐，还没好呢，你把前两天送我的那本脑筋急转弯的书拿来。"接着又对我说："妈妈，你点上蜡烛，把那次你买回来的蜡烛点上一圈。"我听

了大吃一惊，觉得这小家伙脑袋里想的东西还真多。

一切准备就绪了吧，我准备坐下去，没想到贝贝还说："等一下，由我来安排座位，妈妈你坐我对面，我后面不是开着簕杜鹃花吗，花外面不是月亮吗，这样你最爱看的东西都能看到。爸爸坐妈妈旁边，大姐和二姐轮流做主持人，我们一起看脑筋急转弯的书，抢答。"

一切准备就绪了。

清亮的月光，优美的音乐，摇曳着的蜡烛，阳台上铺着厚厚的毯子，毯子上放着一大盘水果和5个抱枕，抱枕上坐着一家5口人，一个负责主持，其他4个人抢答脑筋急转弯的问题——所有美妙的元素都到齐了。

我坐在贝贝安排的位置上，看着我"最爱看的东西"，心里喟叹着："这家伙，我平时那一套，她全学会了。"

我们就这样边吃水果，边听音乐，边抢答，边记分。把一本脑筋急转弯的新书，从头抢答到了尾。

最终，贝贝摘得桂冠（有黑哨老爸的功劳，特此揭秘），奖品是什么呢："冠军可以指派另外4个人当中的任何一个人，干任何一件事。"这是贝贝在抢答开始时就宣布的。

最后，我虽然没得冠军，但和冠军还是扯上了不小的关系——那天晚上，我非常荣幸地得以和冠军共浴。我们用擦泡泡和挠痒痒继续着那天的欢笑。

几年来，我常常会悄悄观察贝贝在独自一个人的时候，和朋友、同学、家人在一起时的快乐指数。贝贝总能怡然自得，无论她一个人时，还是和别人在一块时，总有一种小小的欢乐，在心里流动，我为此也快乐不已。

所以，闺密燕子总说："我最喜欢贝贝的是，她从来一副笑相。"

5. 大师级派头

贝贝两岁多的时候，我有一天在卧室整理衣服，她在旁边玩，我看到她穿着一套粉嫩嫩的衣服坐在地上玩着芭比娃娃，很可爱，就问她："贝贝，你为什么这么漂亮呢？"她头也不抬地说："一，因为我白；二，因为我的妈妈漂亮；三，因为我妈妈给我买的衣服漂亮。"听她用很平淡的语气一口气说完这三条，我惊讶得眼睛都圆了，赶紧跑去客厅跟大家激动地发布。

当时正好我们的导师郭老师来了我们家，这个老牌法学教授听后非常兴奋，说："以后一定要让贝贝学法律，这家伙太有逻辑思维能力了。"他老人家接着分析说："你看，她先表达了一个客观因素，告诉你是因为白，俗话说'一白遮百丑'嘛。接着她表达了一个遗传学观念，告诉你这是因为遗传，同时这话又取悦了你这个妈妈。第三，她没有忘记一个客观条件——服装，'人靠衣装马靠鞍'嘛。这问题回答得简直天衣无缝，一个20岁的人都不一定能回答得这么好呢。"

我们导师后来对这个故事广为传播，对贝贝思维的条理性倍加赞赏。而我，则欣喜地看到她的美感在萌芽。

贝贝3岁多时就开始无师自通地打扮自己，对色彩搭配甚至撞色原理都烂熟于心。有一个周末，我们准备去光明农场玩，她自己找了件粉红的套头毛衣后，让大姐给她拿条牛仔裤出来配，大姐随便拿了一条递给她，没想到她批驳说："大姐，你应该拿那条有粉红花边的牛仔裤，这样才能上下呼应，才像一套嘛。"

还有一次我们去四川旅游，在成都一家印度服装专卖店，她帮我选了件孔雀羽毛图案的半截长裙。回来后，我找出一件白色的吊带背心来试，刚一套上，贝贝就说："不行，很胖。"然后她退后几步，看着我说："我知道了，衣服太长了，罩住了你的屁股，还以为你的屁股就是腰呢，当然胖了。"她眯着眼睛"审视"着我，一副时装设计大师的做派。我说："那怎么办呢？"她马上拿出了方案："有两个办法，一是把衣服剪短，露出你的屁股来；二是系一根腰带，告诉别人那里是你的腰。"后来这个大师绕着我转了一圈之后，又发现裙子太长了，说裙子太长"显矮"，要我去改短。

我采纳了她"系腰带"的建议，第二天一起去裁缝店改裙子。当裁缝师傅量好长度，把多出来的5厘米裙边剪掉，准备扔到碎布堆时，贝贝突然大叫一声："给我！"然后她接过那一长条布对我说："妈妈，这个有用的，你可以在穿这裙子的时候，用这个扎头发，或者围在脖子上当丝巾。"那裁缝师傅一听，非常意外地说："天啦，这么小的孩子，亏她想得到。"

后来那条被贝贝抢下来的布，要么成为我的丝巾，要么在我的长发上骄傲地飘着，我每次这么做时，对贝贝近乎专业的美感无比崇拜。

有一天吃完晚饭，我收拾餐桌时，看到贝贝的碗周围又是饭粒又是水，在餐桌上摊着。我说："贝贝，你不是个爱美的人吗？你看看这里，美不美？"第二天，她很认真地吃着饭，吃完以后，把自己的碗端起来，很自信地示意我看她的碗周围："妈妈，你看！"我很高兴，赞赏她："真是个爱美的人。"她笑了，很骄傲地说："一个女人不爱美，那还了得！"

这是我听到过的，关于女人要爱美，最坚定，最一锤定音的话。

6. 爱美变成了“臭美”

正当我们为贝贝的美感骄傲的时候，突然发现贝贝爱美过分，成了“臭美”。过犹不及，“糟大糕”了。

她经常为有点婴儿肥的小胖脸发愁，狠命拍打着自己的脸，好像那是坏人的屁股。后来不知道从哪听说大声读拼音，运动脸部肌肉，有助于脸部减肥，结果一吃完饭她就在家大声地读着“a——o——e——”。

那一段时间，别人有的漂亮衣服、漂亮鞋子、漂亮项链，她都想要。

有一天，我的好友Peter带儿子骧骧到我家来玩。贝贝突然想表现一下，摊开作业本，认真做起家庭作业来。二姐在一旁跟骧骧开玩笑：“你们班有没有美女？贝贝跟她们比，谁美些？”正趴在桌上装模作样写作业的贝贝，突然“唰”地转过身，眼睛紧盯着骧骧。好在骧骧很乖巧，说：“当然是贝贝漂亮了，而且还要漂亮十倍呢！”一听这话，贝贝紧绷的胖脸立即绽放成盛开的粉红牡丹，开心得朗声长笑。我猜骧骧如果不是那么乖巧，贝贝可能得大哭一场。

对贝贝的过分爱美，我们煞费苦心，用了好长一段时间来矫正，常常弄得啼笑皆非。

有一天下午，我们仨坐在客厅的地板上边听音乐边看书，我一转头，看到阳台外面，一轮红彤彤的落日正挂在天边。我心生一计，说：“哎呀，看那太阳多美呀，马上要掉了，我们赶紧对着夕阳许个愿吧，一定会实现的。”我马上闭上眼睛，双手合十，特意把许愿的内容说了出来：“我希望我们全家人每天都很开心。”我问贝贝：“你许的什么愿？”她说：“我希望我每天都很漂亮。”我看她根本没受到我的“干扰”，又接着说：“太阳还没掉下去，我们再许第二个愿望吧。我希望我们全家人每天都相亲相爱。”这回贝贝主动说：“我希望我的头发像乌木一样黑，嘴唇像樱桃一样红，皮肤像雪一样白。”深知我葫芦里卖的什么药的老哥冲我大笑。我一看这架势，得挑明了，就说：“贝贝，美丽不是最重要的，一个人的爱、快乐、健康，比美重要得多。”贝贝没有吭声，看上去有了点效果，我趁热打铁，说：“我们再许最后一个愿吧，我希望我们全家都健健康康、平平安安。”这一次贝贝没有主动告诉我，我只好问她：“贝贝，你这回许的什么愿呢？”贝贝沉默了一小会儿说：“我希望我越来越美丽。”我听了简直要大跌眼镜。老哥大笑着打圆场：“好，就许到这，但愿你们俩的愿望都能实现。”

后来，我们全家总动员，用各种方法慢慢影响她，直到她说出“美不是最重要的，爱才是最重要的”、“开心就好了，漂亮不是那么重要”这样的话，用来“教育”我们和她的朋友们。直到她在家愿意穿舒适的棉布衣裤，而不是好看但并不方便的连衣裙。

现在，如果看到我穿漂亮衣服准备出门时，她会取笑着：“妈妈，你这个臭美冠军！”然后倚着门框目不转睛地看着我完成全套臭美流程，顺便把我的漂亮衣服、帽子、项链预订下来，准备她长大后用。

现在，她的臭美有所收敛，因为上了小学，只能穿校服了，我们松了口气。

不过后来发现她总有办法。

我的闺密丹丹送她一个小包，蓝白相间的格子上有可爱的白色KITTY猫，贝贝非常喜欢，跟我下去散步时也拎着。

走着走着，我忽然感觉身侧虎虎生风，原来这家伙拎着包的手臂，正飞速甩动着，引来旁人纷纷侧目注视她的小包。

哈哈哈，真有办法啊，我狂笑。贝贝见我大笑，不太好意思地掩饰说："哎呀，妈妈，太热了，凉快下。"

问题是，这家伙什么时候知道了通过运动来吸引眼球呢？

我后来发现，校服并没有办法制服这个爱美狂人，只要有一点可能，她就要在校服之外，随时来点什么花招，以释放 6 岁多的她那隆重的审美意识。

7. 善良动人

贝贝 4 岁多的时候，有一次她一吃完晚饭，就急忙去玩她的新芭比娃娃了，我收拾碗筷时，看到她的碗边还残留着一些饭粒。我走过去对她说："贝贝，快来，有人哭了。"她一听说有人哭了，赶紧随我来到餐桌旁。"你看看，这些饭粒在哭呢，它们边哭边说：'为什么它们可以进到那个幸福的人肚子里去，我们怎么就不能呢，我们也很可爱呀，呜呜——'"我摹仿着饭粒大哭起来。她一听，赶紧端起饭碗扒完那些饭粒，然后放下碗筷，大舒一口气说："这下你们该笑了吧。"几天后再吃晚饭时，还剩最后两口，她说吃不下了，还没等到我们开口，她又自言自语地说："不行，待会儿它们又该哭了。"这时候，利用她的善良，比跟她背"锄禾日当午"有用得多。

她的善良，常常感动我们。

老哥喜欢栽花种草养点小鱼什么的，我们家就定制了一个大鱼缸，鱼缸里有"神仙鱼"、"孔雀鱼"等好几种。贝贝很喜欢，鱼缸由一个专业的"鱼博士"定期来家里维护。

有一天晚上，贝贝意外地发现鱼缸里死了一条“神仙鱼”，它被绿色的循环水管卡在里面，因为挣扎太久而受伤严重，最终离开了人世。外婆把“神仙鱼”用筷子夹出来的时候，只剩下身子了，贝贝一看，大哭起来，眼泪大颗大颗地流下来，边哭边伤心地说：“这条鱼好可怜。”我们安慰了好久她才止住哭。

我们以为这事就算过去了，没想到那天半夜，大姐迷迷糊糊中听到贝贝叫她，一爬起来，发现贝贝坐在床上，哭着说：“姐姐，可不可以去给鱼博士打个电话，要他来把那鱼缸里的绿管子搞掉？”大姐答应她第二天一早就打电话，好说歹说之后，她才肯重新睡去。

第二天一早，贝贝一起床就去看鱼缸，看完后，她又跑过去拉大姐，说：“姐姐，那条‘孔雀鱼’好像又要去管子那了，叫它不要去啊，你赶紧打电话给‘鱼博士’呀。”睡午觉的时候，睡着的贝贝嘴里还在念叨着：“孔雀鱼，别过去啊。”

由于天性善良并善解人意，贝贝几乎讲不出让别人听起来不舒服的话。

她还很小的时候，有朋友到我们家来玩，问她：“贝贝，你像爸爸还是像妈妈？”她总回答说：“像贝贝。”老哥是湖北人，我是湖南人，我们经常问她是哪里人，她的答案一般都是“深圳人”，还有时，妈妈问她是“哪里人”，她就说是“妈妈人”，爸爸问她，就说是“爸爸人”。

贝贝两岁多的时候，有一次外婆忘了件什么事，自责地说自己“老了，没用了”。贝贝发现外婆不高兴了，看着外婆额头上的皱纹说：“外婆，你额头上怎么有这么多线条啊，一条一条的，好像彩虹耶。”外婆顿时开心地大笑。

贝贝常回家说他们幼儿园的蛋炒饭很好吃。二姐向他们幼儿园的厨师讨教过后，决定回家露一手。盛给大家吃时，她讨好地问贝贝：“味道怎么样？有没有幼儿园的炒饭好吃？”贝贝想了想后，说：“二姐炒得很不错，我们幼儿园的师傅是专门给我们煮饭菜的，是专业的嘛，二姐又不是专业的，所以要表扬二姐。”

有一阵天气比较冷，贝贝的双手冻裂了，大姐受命给贝贝的手做护理，擦些护肤品和药膏。有一次，她边按摩贝贝的左手边和二姐聊着天，一直没轮到右手，贝贝等了好久，实在忍不住了，提示说：“大姐，右手也是我的手呢。”

有一次我和贝贝在会所的儿童游戏室玩，她拿到手的玩具，一次一次被别的小朋友拿走，半个小时之内有 5 次，我在旁边观察着，心里暗暗着急：“贝贝是不是性格太弱了？她是不是总这样被人欺负？以后怎么参与竞争？会不会内心很压抑？”

回家的路上，我问她为什么别人老抢她手上的玩具。她满不在乎地说：“玩具到了我的手上他们还来拿，说明他们很想要玩那个嘛，那我就给他们咯，反正玩具多的是，我换一个就是了。”她一点都不介意，还很开心的样子。

8. 小人担大任

每个人都应该有责任感，我甚至认为，女人更需要有责任感，因为在某些方面，女人更擅长，更有不可替代的责任，比如创造良好的家庭氛围、养育孩子等。

我们总是有意无意地唤起贝贝的责任感。方法之一就是让她感觉她总是被需要的。我们需要她的爱，需要她为我们带来快乐，需要她为我们做力所能及的事，这种被需要的感觉，最能激发她的责任感，她的行动力。其次，让她觉得她有力量为大家付出，她有能力为大家创造大家所需要的。

有一次我开车送贝贝去上美术课,我们静静地听着欧美经典音乐,没有说话。过了一会儿,贝贝忽然对我说:“妈妈,我觉得我为我们家做的贡献太少了。”我听了大吃一惊,小小年纪,居然在考虑自己的贡献度!我马上说:“宝贝,你觉得你为我们家做的事情太少了吗?你画了很多画用来装饰我们家,我们不用到画廊去买画了,省了很多钱。你还经常帮我们做家务,最重要的是,你让我们很快乐,很骄傲。”贝贝听后得意地下着决心:“我以后要做更多。”

几天以后,贝贝放学回来,看到我和老哥在厨房里准备晚饭,一放下书包就走过来问我们:“我做什么?”我们的饭准备得差不多了,但是我看到她显示出难得的责任感,就对她说:“那盆玫瑰花要谢了,你把花瓣摘下来晚上泡澡吧。”贝贝马上忙开了,她一朵一朵地摘着玫瑰,摘一朵,开心地看看粉红色的花瓣,闻一闻,放到一个塑料脸盆里,很享受的样子。摘完之后,她把花杆丢进垃圾桶,还把花瓶也小心翼翼地洗好了。

洗完花瓶出来,她边走边自言自语地说:“咳,做了点事,心里感觉舒服多了。”

去年秋天的一个晚上,老哥不知道怎么惹恼了我,正生气的时候,贝贝过来了,她一看我脸色不对,忙问我怎么啦。我本来不想跟她说,但转念一想,这种事情她没碰到过,倒看看她会怎么处理。

我认真地向贝贝投诉了老哥。她一听,立即来了法官的感觉,对老哥正色道:“爸爸,你得向妈妈道歉。”老哥见她一副威严十足的样子,抿着嘴忍住笑:“对不起,我以后再也不这样了。”

“妈妈,爸爸向你道歉了,你就原谅他吧,其实爸爸最爱的人是你,爸爸你说对不对?”说完,她拼命向老哥眨眼睛,老哥装做没看到,回答说:“我最爱的人是贝贝。”

她急了："错了，爸爸，你说错了，你最爱的人是妈妈，肯定是妈妈。"说着眼睛像得了沙眼一样眨个不停。老哥看她急成那样，不忍心了："对，我最爱的是妈妈。"

"听到了吧，妈妈，爸爸最爱你了，上帝给我们那么多的时间和机会，你就不能原谅爸爸这一次吗？"我和老哥一听她这话，惊讶得嘴巴都圆了。

后来，贝贝自作主张，要老哥画一副画，让"妈妈消气"，结果她三下五除二把画画好，偷偷叫老哥拿给我。我心里会意："好吧，看到这副画这么美，我的气也就消了，以后不许再惹我生气啊。"老哥和贝贝一听，互相大扮鬼脸。

第二天，贝贝问我："妈妈，你记得昨天发生了什么事吗？"我佯装还不高兴地说："当然记得啊。"她又转而问老哥："爸爸，你记得昨天发生什么事了吗？"老哥耍赖："没什么特别的事吧，昨天很开心啊。"

这时贝贝又亮出她的威严："你们俩搞反了，妈妈呢，不应该再记住昨天的事了，过去的事情就让它过去嘛。爸爸呢，必须记住昨天犯过的错误，然后才能改正。你让妈妈生气了，你说过再也不那样的，你都不记得了，怎么能保证不再犯呢。"

这时我和老哥瞪圆了眼睛，异口同声地问她："那你呢？""我当然要记住啊，我要监督爸爸，这是我的责任，看你说话算不算数。"老哥听了立即做出"晕倒"的姿势，我则大笑不止。

贝贝班上有一个很调皮的男生叫刘青松，把老师气哭过好几次，同学们都不愿意跟他坐一起，老师问贝贝愿不愿意跟他坐，贝贝满口答应了。老师非常高兴，把这件事告诉了我。

我很好奇，回家后问贝贝为什么愿意跟刘青松坐，她回答说：

“他是很调皮，不过要是谁都不跟他玩，他也会伤心的。总得有一个人爱他嘛，爱的大门不能向他关闭了。”我吓了一跳，才6岁的贝贝居然说“爱的大门不能向他关闭了”，这样的话不是应该由神父的嘴说出的吗。后来那个男生一直跟贝贝坐在一起，据贝贝说，还成了好朋友。

贝贝不仅在家、在幼儿园，都表现出很有责任感，令人称奇的是，她的责任感还有社会性的一面。

我们家有好几面墙都用贝贝的画做装饰，后来，墙不够用了，贝贝的画扩张到了家门口的公共走廊，我们把它变成了贝贝的私家画廊。

私家画廊上挂满了贝贝的画。不过，欣赏完这些画可能得掏腰包——画廊边挂了一个小箱子，箱子旁边有一块告示牌，告示牌用童体字和彩色的笔写着：“朋友，如果您觉得我的画廊值得，请在此投币二元，这些钱将用来帮助山区贫困儿童。”——牌子上还有可爱的笑脸和贝贝歪歪扭扭的亲笔签名。

这是贝贝的创意。

我们经常在报纸上看到一些有关失学儿童的报道，也常在家讨论。贝贝有一次忽然兴奋地插话："我那里不是有个画廊吗，可不可以卖门票，赚了钱然后就捐给他们？"我们听了先是一愣，接着发现贝贝的责任感扩张到了"社会"，大加赞赏地说："对啊，这么好的画廊，当然应该收费呀，这样一来，你就可以帮助那些失学儿童了。"

后来，有人到我们家来，贝贝就会问："我的画廊值得吗？你投币了吗？"现在，小箱子里的钱都快装满了，连给我们家送水、送外卖的人，都慷慨解囊，笑着投币二元。

可贝贝还一副小人担大任的样子："下次我再到楼下去开个画展，或者卖一些画，帮助更多的人。"

9. 此人不好对付

和孩子一起成长，有时很好玩。不过，她可不会让你想怎么玩就怎么玩。事实上，人这个动物，从小就很复杂，不是那么好对付的，可能一不小心，你就会掉进她的"陷阱"里。

贝贝还只有两岁大的时候，有一天吃完晚饭和外婆下楼去散步。回来的路上，贝贝懒病犯了，要求外婆抱，外婆不乐意，说："你是懒鬼。"贝贝正告："外婆，你搞错了，我是贝贝，不是懒鬼。"

贝贝 3 岁时，有一天我们在家煮火锅吃。吃到最后，大家一起喝汤。贝贝非要自食其力地站在凳子上，左手按住桌子，右手费劲地抓着巨大的勺子，舀滚烫的汤。由于"路途遥远"，那勺汤在途中几经泼洒，到达她的小碗时，只剩下可怜的一小口，老哥既担心她被烫到，又不希望她用汤给餐桌洗澡，急得大吼："贝贝，不可以这样！"

听到爸爸大喊，贝贝慢悠悠地放下大勺子，转过头对着爸爸非常平静地问："是谁教你这么凶的呀？"我听到后笑得被汤呛了一大口。

贝贝还有个特点，性子比较慢。她说话的速度就像老头打太极拳，明明可以一拳过去，非要悠悠然在空中划上一道优美的弧线，再慢慢运掌出来。

因为她的慢性子，我们常得催她。有一次，上美术课快要迟到了，贝贝还在醉汉拉锯一样地刷牙，大姐只好猛催："贝贝，快点，快点，要迟到了，抓紧时间！"听大姐说完，贝贝停止了刷牙动作，慢慢地放下牙刷，把手握得紧紧地，高举着攥好的拳头，反过身来，对大姐说："大姐，我抓紧时间了，你看。"弄得大姐哭笑不得。

贝贝有时偏食，我们叫她吃某些东西的时候，最有效的办法是抓住她臭美的特点，告诉她哪些东西使皮肤变白，哪些东西使头发变黑，哪些东西能让头发长得快。

有一次，老哥做了黑木耳烧猪蹄。她爱吃猪蹄，不愿意吃黑木耳，我边给她夹黑木耳，边用惯常的办法引导她："贝贝，多吃点黑木耳，让头发变得像乌木一样黑。"她回答："哦，我今天吃了黑木耳让头发变黑，那下次吃了白木耳再让头发变白啊。"她说完得意地看着我笑。我们有时用莲子煮白木耳做甜品，因为比较甜，她还蛮喜欢吃白木耳的，不过这让她很快就"以子之矛攻子之盾"。

还有的时候，你教给她的东西，她能灵活自如地用来"制"你。有一次，我们去"天使冰王"吃冰淇淋，贝贝点了一个超大的冰淇淋。吃了一会儿之后，我看她吃的速度明显减慢了，又担心她吃得太多闹肚子，就对她说："贝贝，吃够了吧？吃不完就算了，没关系的。"

她好不容易饱餐一顿冰淇淋，哪里肯放弃？马上严肃地说："我必须要吃完的，怎么能半途而废呢？怎么能浪费呢？妈妈，是不是？"我们平时叫她把一件事情坚持做完，总跟她说不能"半途而废"，也常告诉她要节约，不能浪费。这下好了，人家活学活用，全卖给你了。

有一个假日，贝贝懒觉睡到十点多，我看她在懒上完全实现了"青出于蓝而胜于蓝"，准备调动一大套理论好好跟她"讨教"一下。

她准备伸那小懒腰时，听到我匆匆的脚步声响，感觉"来者不善"，赶紧说："哎，编故事好累啊。"我很奇怪，忙问："什么？编故事？"

"妈妈，你以为我在睡懒觉吗，我在做梦，我做梦很累的，整晚都在编故事，已经到第五集了，要不要听？"听到这么狡猾的说辞，我的怒气就像气球被针尖轻轻刺了一下，瞬间破灭。我爆笑："那就讲刚编的第五集吧。"

为了锻炼一下贝贝的语言表达，我们在家常常搞点小型辩论。有一次，本人舌战群雄，几个回合下来，其他几位选手哑口无言。得胜之人，不免言辞锋利，面露得意之色。贝贝很懊恼，在结束此番辩论时说："妈妈的心是好的，我们的心是碎的。"说完拉着我的手去摸她的胸口："你看，完全不动了，看你下次再和谁辩论，你不是说要尊重对手的吗？完全不把我们当回事，哼。"这下，哑然失笑的当然就是我了。

不过，在被她反算计的过程中，我们倒是慢慢懂得了尊重，尊重她的智慧、尊重她的思想、尊重她的耍赖、尊重她的撒娇。有时得把她当小孩来尊重,有时又得把她当大人来尊重。

在制与被制,算计与反算计的过程中,我们如果成功,就得尊重她的成长,我们如果失败,也得尊重她的成长。

10. 等着珍贵的种子

琴棋书画无一所通的我,曾经也认真思考过自己的天赋。

我清楚地记得,10岁的时候,我曾疯了似的想跳舞,但在那样一个把吃饱饭当做最高目标的时代,没有人会在意一个小女孩是不是想跳舞,包括她的父母。而且更令人匪夷所思的是,在我生长的那个农村,当时人们认为跳舞不正经。于是,我只能偷偷地在我们家楼上跳。

记得当时我经常一边小声地唱着《我爱你,塞北的雪》,一边像雪一样轻盈地跳着舞,生怕楼下的人听到,但我的内心无比地狂热,我一遍遍地跳着,不断地换着歌曲,编排着各种动作,想象着自己在一个偌大的舞台上,台下观众座无虚席,我跳完一曲,掌声雷动。我像穿上了神奇的红舞鞋,一直地跳着,要"表演"上两三个小时。

有一次,我的个人音乐会不小心被上楼来拿东西的老妈看到,她当即沉下脸厉声说道:"你呀,正法不做,邪法有余。"这句话的意思是正经事不干,偷偷干这不正经的勾当,这句话常被我们村里的妈妈用来斥责不用功读书的孩子。对于农村的父母来说,对孩子唯一的盼头,就是孩子好好读书,考上大学。

后来,老妈担心我的这一"邪法"蔓延,还一再上楼去抽查。就这样,我的舞蹈天赋像绚烂的烟花,一闪而过后,熄灭了。

还有一段时间我特别喜欢画画,我对着家里的各种东西临摹,有的比较简单，比如杯子、南瓜之类，就有点像，有的比较复杂，比如人，画得几乎不像。当我秀出不怎么像的作品时，家人要么嘲笑，要么还是那句“正法不做，邪法有余”的评价。

于是，像舞蹈一样，我画画的天赋也如流星闪过。

我回忆和思考这些的时候，几乎确认每个人身上也许都曾降临过特别的天赋，它就像上天赐予你的一颗珍贵种子。有些人意识到了这颗珍贵的种子，给它适合的土壤，给它施肥、浇水，有一天，它就发芽、开花、结果，甚至硕果累累。有些人并不知道它是一颗珍贵的种子，以为只是一颗小石子，或者是别的什么，甚至垃圾。这颗种子，也就不再有使命。

我明白这一点的时候，我们已经有了贝贝。于是，观察贝贝的兴趣，发现贝贝的兴趣，等着这颗珍贵的种子的到来，成为我这母亲发誓要做好的一件事。

11. “妈妈，我想吃苦”

贝贝还只有 7 个月大的时候，有一天下午，我三嫂在洗手间给她洗澡，我们在客厅放着儿歌。当放到《世上只有妈妈好》的过门时，旋律刚刚响起，贝贝就望着客厅说“妈妈”，然后她的两只小手，跟着这支歌的节拍舞动，三嫂赶紧叫我过去看。我惊喜地发现贝贝坐在浴盆里，两只肉乎乎的小手不太熟练地打着这支曲子的节拍，当 CD 播放到有“妈妈”或“妈”的歌词时，她就跟着念出这个她唯一会念的字。

显然，贝贝在音律上有一定的天赋，我立即感觉到这应该是上天给予她的第一颗种子。

于是，我和老哥开始请教一些儿童教育专家和音乐方面的专业人才，他们说要多让贝贝听西方古典音乐。我们买了CD播放器放在贝贝的卧室，让她每天睡觉之前都听古典音乐。

贝贝3岁多的时候，有一天，我边写稿边戴着耳机在电脑上听音乐，她跑过来也要听，我就让她听了一曲王力宏的《爱的就是你》，听完之后，贝贝说："好好听啊。"接着她居然哼出这曲子的旋律来，当时我简直不敢相信。

我们有时候带贝贝出去，在车上听广播或者在一些西餐厅听到一些曲目时，我们总像没听到一样，而她经常会说："这个曲子我们家有。"或者"这个曲子我听过。"然后她就跟着旋律一起哼。

我相信，在贝贝小小的音乐世界里，一定有着我们不知道的秘密。可惜的是，我们没法开启。但是，我们静心观察着她，也尽可能去保护这个秘密，当这秘密有机会闪现的时候，我们不遗余力地鼓励她。

贝贝5岁的时候，几次主动跟我说要学钢琴。她第一次跟我们说时，我有点意外，也有点欣喜，不过只是淡淡地回答她说："练钢琴很苦的。"然后就没再理她。过了几天，贝贝又对我说："妈妈，我想学钢琴，我想吃苦。"我听了暗自发笑，这家伙居然说要"吃苦"，但我还是漫不经心地说："学钢琴很难坚持下来的，要天天练，很难受的。"我猜她那一段时间一直在琢磨这事，又过了大概一个星期，她又找我说："妈妈，我会天天练钢琴的，我保证。"

似乎不能再铺垫了，于是，我找贝贝好好谈了谈，了解到她想学钢琴不完全是因为院子里其他小朋友都开始学琴，了解到她真的对学琴有兴趣时，我开始找老师，买钢琴，确定每周学琴的时间。

贝贝学琴当然也和别的小朋友一样，有时会哭，有时会拒绝练，我们一样得软硬兼施，威逼利诱，招招使尽。但有一招对她最有用，就是叫她别再学了，这时她会担心我们真的不让她学了，就会好好奋进一下。

有一次老哥对贝贝说："练琴太辛苦了，别学了，咱们玩别的吧。"没想到贝贝斩钉截铁地说："那不行，练琴虽然辛苦，但音乐也实在太美了。"

我们把这句话，当做她身上拥有秘密的解释，把她作为种子准备发芽的依据，继续观察她，保护她。

12. 两年出5本童话书

不知道从什么时候起，贝贝几乎每天都要画画，某一天不画，会睡不着。她不管什么时候，什么地方，想画，她就画。也不管纸的大小，更不管手中的画笔是我们的水笔，还是她自己的铅笔。

她顺手拿一张便签纸就能来幅小创作，翻开一本杂志，就在空白处表达自己的想法，完全不管我们收藏这幅作品是否方便。

看到她情绪不佳时，我们就会说："贝贝，画一幅画给我们看嘛，突然想看你画画了。"她立即画将起来，心情很快就好了。

贝贝那些大大小小的画，都笔法稚嫩，天真有趣，内容有各种动物的，各类公主的，也有现实生活中的。我们用一个专用的盒子，把她的各类作品，当宝贝似的装着。看到盒子里的画越来越多，她开始有了成就感，越来越喜欢画画了。身上的"画家气质"，也越发明显，我们笑称她小"画家"时，她甘之如饴地答应着。

贝贝快5岁的时候，她有一天突然抱着她的"作品"来找我："妈妈，我想把这些做成一本童话书。"我一听，觉得是个不错的创意："好呀，我们把这些整理一下，配上你的话，不就是童话书了？"我想着，既是童画又有童话，应该很好玩，几天以后，就是贝贝5岁的生日，正好做个纪念，产生贝贝纯手工的第一本书。

贝贝当时的画一般都是用 A4 纸画的，我把它们一幅幅贴在 A3 的大纸上，留出空白，每拿到一幅，贝贝就说出她画里的意思，我用童体字赶快记录下她说的话。我听了常常哈哈大笑："画家的心思真不好猜呀。"

有一幅画的是一个小姑娘在窗前笑着，窗户上有一束花，贝贝一看到这幅就露出神秘的笑容，她说："图中有个小朋友，她的名字叫贝贝（不是我），她坐在自己的贝壳卧室里，贝壳架上有一盆水仙花，水仙花神奇地开了，她很开心。这里有一个秘密，谁要是抱住了水仙花的三个球球，就能够使你做错的事情恢复原来的摸样。"

嘿嘿，那么神奇的"三个球球"，谁都想抱吧？

还有一幅，画的是一只很大的蜗牛，蜗牛背上有一支花，肚子上有翅膀。我觉得画得有点奇怪，没想到贝贝说："妈妈去新疆了，我想妈妈，画了一架蜗牛飞机，让妈妈马上飞回来，没有画爸爸的座位，

因为爸爸在开飞机。”我听到她说“没有画爸爸的座位”时，正想着那爸爸怎么办？没想到人家早有安排，“爸爸在开飞机”，最后才抖出包袱来。

我听着贝贝说她的画，变化着不同颜色的笔急急忙忙原话照录她说的话，惊叹这一个5岁小孩的智慧和想象力。

这书有好几十页，咱们这画家说得又快，本人简直是处在紧张状态，还真有点累，常申请休息。画家也许进入了某种兴奋状态吧，好几次给我加油：“妈妈，再坚持一下就做完了，不用休息那么多的。”

后来这本童话书既有序言又有后记，封面设计也由贝贝自创完成。有朋友到我们家来，我就拿出这本杰作出来一秀，赢来不少吹捧。

现在，童话书已经出到第五辑了，我非常专心地做着这件事，狡猾地想着：“说自己是好妈妈，总要有点书面证据吧”。

13. 我们是好朋友

2003年的那个春节，我和老哥有幸得到一次很好的教育。

我们先后和两家朋友吃饭，都是典型的三口之家，两家的孩子都是十来岁的男孩。

第一个朋友的儿子在饭局上，自始至终没有和他爸妈以及我们说过一句话，坐在餐桌边，就像无规则地堆着的半吨肉，自顾不暇地往已经肉砣砣的身子里，添加着新的肉食。我们和他说话时，他只是勉强笑笑或毫无表情地点点头，怎么也掏不出一句话来。

另一个朋友的儿子则非常活跃，和老爸及老妈一副无话不谈的样子，拿爸妈的缺点一个劲开涮，也毫不掩饰自己“有待改进”的地方。跟我和老哥热烈地讨论找女朋友的事情时,他老妈说:“有感觉时,先要让我批准啊。”他嘲笑说:“嗨,老妈你那点审美,怎么靠得住呢,我还是找这美女阿姨好了。”走的时候,他和爸妈勾肩搭背的,俨然是老朋友。

我们后来对这两个朋友进行了深度访问,第一个朋友非常难受,说完全没办法跟儿子沟通,不明白儿子的心思,不知道他的兴趣,不了解他的希望,想要带他去美国旅游都一点兴趣没有。他说不知道从什么时候开始就隔膜了。而第二个朋友说他们跟儿子一直是好朋友,他们之间心态很开放,所以儿子的所思所想他们很清楚,他们对儿子的状况非常有把握,也很满意。

我们如获至宝。

我们蹲下来跟贝贝说话,把贝贝抱到膝盖上说话,让眼睛对视,彼此真诚地说好朋友之间的话。我们跟贝贝说着心里话,哪怕她根本听不懂。当然,我们也不在意她是否听懂,只是作为条件,让她也把心里话也告诉我们,这才是重点。

让我们非常意外的是,两岁多的贝贝已经很有想法了,她有自己的心里话。比如有时候说“爸爸凶了我,很可怕”,有时候说“妈妈穿那件衣服其实不好看”,还有时透露说“外婆今天不高兴”。

我们后来建立了一个“秘密时间”,在秘密时间里,每个人都要讲出自己的秘密,其实也就是心里话。我们经常叫贝贝“好朋友”,她也很喜欢我们这样叫她。

贝贝刚满 5 岁的时候,突然对我们说她长大了,不要再叫她的小名“贝贝”,要叫她“李语晨”。老哥听后笑着说:“你虽然长大了,但对爸妈来说,你永远都是‘贝贝’,我们可以一直都叫你‘贝贝’,这样叫起来亲热,表示我们很爱你。要不然我们跟别人一样叫你,很爱的时候，怎么表示呢。”她说：“很爱的时候，你们就叫我‘好朋友’嘛。”

我们这才知道贝贝很看重“朋友”，就常常强化我们跟她的“朋友”关系。我们说心里话的时候，就对她说“朋友之间是无话不谈的”，我们帮她的时候就说“朋友之间要互相帮助”，她帮了我们的时候，我们就想办法报答她，然后说“朋友之间要知恩图报”。

但有的时候，我们还是会忘了她是我们的朋友。

有一天傍晚，贝贝的二姐发烧了，我们让大姐陪她去医院。贝贝立即表示她也要去，我们觉得贝贝去不但帮不上忙，她们俩还得照顾她，况且那时候她还没吃饭，就叫她别去，但贝贝自己做主，拿好水、换好鞋，准备出门。老哥一把抱住他，硬不许她去，结果一向温和的贝贝大哭大闹起来，边哭边拳打脚踢地挣扎。我看这样子，只好同意贝贝去了。

那天晚上，她们 3 个到 10 点钟才回来，饭也没吃，我问贝贝饿不饿，她拼命地摇头说不饿。等她们狼吞虎咽地吃过饭以后，我告诉贝贝我们不让她去的理由，然后问她为什么一定要去，她说：“我生病的时候二姐也去医院陪我啊，二姐生病了我当然也要去陪她嘛，朋友之间要‘知恩图报’。”

我听了一惊，心想，贝贝真的把我们当成了朋友，可我们怎么就不太像她的朋友呢。

第十一章　全世界最幸福的女人

小时候我有两个梦想，一个是吃饱饭，一个是长大后比猪有用。我妈总是先喂猪再喂我们，她的理由很充分："猪可以杀了过年，你有什么用？"

我挣扎着从"疯人院"逃出来了，并奇迹般地建立了自己的天堂。

1. 我比猪有用，所以比猪快乐

有一天我去玛亚的办公室，她一见到我就笑着对嘉嘉说：“赶紧关灯，咱们环保一下，她脸上的光就够我们用了。”我脸上的皮肤很亮，老哥给我拍照时，总是没法用闪光灯，否则面部曝光绝对过量。

有一次和同事一起出差，我冲完凉出来，她一见到我大叫起来：“原来你的皮肤本来就这么亮，不是化妆品或者脸上有油的原因！”后来我们美容版主编诊断：“快乐过度所致。”

老乡王刚有一次对我说：“我经常在开车去上班的路上想，哎，忙碌的一天又要开始了，不知道你今天会干些什么呢？晚上下班时，有时也会想，哎，这一天终于结束了，不知道你今天干了啥呢？”他说：“任何时候只要一想到你，就仿佛看到你的笑脸，听到你的笑声，看到你神采飞扬地给我们讲那些开心的故事。”

爱思考的好友燕子有一天问我：“你为什么这么快乐？从来如此吗？天生的吗？”我说：“因为我比猪有用，所以比猪快乐。”她被我的回答弄得瞠目结舌。

我跟她探索我的从前，回忆起我小的时候。

那一年我8岁，上小学二年级。有一天放学回来，我肚子很饿，看到老妈正在忙忙碌碌地准备猪食，没有做我们的饭。我很委屈地冲老妈说：“妈妈，我肚子好饿，你为什么不先做人吃的饭，要做猪吃的饭呢？”老妈头也不抬地说：“猪可以杀了过年，你有什么用呢？”她说完拎着一木桶猪食急匆匆地走向猪圈。

老妈一转眼不见了，我呆呆地站在灰暗的黄昏里，心想，是啊，每年过年的时候，我们家都会杀一头猪过年，杀了猪，过年的时候就有肉吃，猪油炼的油能装满一陶瓷缸，可以做几个月的菜，省不少钱。而我，有什么用呢，我是人，不能杀了过年，还要白白地吃饭。

当时在我们老家，猪和牛都是很受重视的动物，猪能解决巨大的过年问题，牛可以耕地，它们确实比人有用得多。在那个生存艰难的时代，父母是没有时间和力量去考虑和子女的沟通技巧的，老妈只是从某种实用的角度，说了这句大实话。

在任何时候，父母说的任何话、做的任何事，都是可以被理解和不能被埋怨的，更不可能是他们不爱我们，事实上，父母对于孩子的爱，是不需要证明的。

但是，得知自己这么没用，还不如一头猪时，我还是很伤心，很烦恼，我的眼泪当时就流了下来。

第二天，我去找我奶奶。奶奶听我说完，发狠地说："好好读书，长大以后做个有用的人，你一定会比猪有用的。"

奶奶的话突然给幼小的我指明了努力的方向：我要好好读书，要比猪有用。于是，我儿时的目标变成了两个，一个是吃饱饭，一个是好好读书，争取以后比猪有用。

小学三年级结束的时候，我的成绩在班上是第12名，但我做了个惊人的决定，现在看来，那是我人生中第一个英明的决定。

我找到老爸，说："我想再读个三年级。"我爸听后大吃一惊："你想当留级生？你的成绩不是还可以吗？"当时，留级生在我们学校里意味着绝对的耻辱，家里出了个留级生，连父母都觉得抬不起头来。留级生走在校园里，后面总跟着一帮大大小小的坏同学，他们跺着脚、拍着手，齐声大叫着"留级生！留级生！"留级生走到哪，他们跟到哪，留级生去上厕所，他们也一窝蜂地去抢厕所。

我对老爸很肯定地说："小学三年级开始学写作文，数学也要打基础，我三年级没有读好，要再读一次。我是自己要重读的，不算留级生。”老爸听完后迟疑了一下，接下来又很高兴地笑了，然后给了我5块5毛钱，让我自己去交那个学期的学费。

在那个可怜的年代，爸妈在我们的吃饱穿暖上，就得绞尽脑汁，至于其他的方面，他们不得不交由我们自己来决定。这也使得我一直比同龄的孩子多虑、早熟。

第二个学期，我果然当起了留级生。当那些坏孩子们纠集在我身后，大叫我“留级生”时，我猛然转过身来，厉声对他们说：“我是自己要重读的，不算留级生！我是要考第一名！”然后狠狠地瞪着他们。

从那以后，没有谁再叫我“留级生”，我的成绩，在后来的好几年里，也没有从第一名上掉下来过。我开始饱尝一个好学生的各种好处：老师喜欢、同学羡慕。我感觉自己像奶奶说的，开始“好好读书”了，当我感觉自己读好了书的时候，我感觉自己会比猪有用，所以比猪还快乐。

燕子吃惊地听我说着这些，她完全没想到我这样一个热爱浪漫和精致生活的人，居然来自那样一个家庭背景，更令人匪夷所思的是“留级事件”，她说：“9岁大的孩子，没有任何大人的参与，自觉地完成了整件事情，我猜没有人会那样。”

我说：“现在想来，这件事给懵懂年少的我上了一课，那就是：我可以自己做主，自己找到快乐，哪怕我什么都没有，甚至难以吃饱饭。所以，后来我人生中的任何一个决定，任何一个选择，都由我自己来做，包括读中学、大学、考研究生、来深圳工作、结婚、生子。”

回想那时候，我觉得爸妈在生我后的几年，就把人生的那张白纸无意识地交给了我自己，去倔强地书写，他们则继续奋战在生存线上，只是偶尔直起腰来，笑眼看着我的成长。

我边回忆边跟燕子说着，突然想起《肖申克的救赎》（又译《刺激1995》）这部美国著名的电影，电影讲述银行家安迪，被当做杀害妻子与其情夫的凶手送上法庭，妻子的不忠、法官的误判、狱警的凶暴、典狱长的贪婪与卑鄙，将正处于而立之年的安迪，突然从人生的巅峰打向了地狱。被判了无期徒刑，服刑于有进无出的肖申克监狱后，安迪知道只有越狱才是唯一的出路，于是，他靠一把用来雕刻的小锤子，用了十多年的时间，奇迹般地挖出一条隧道，逃离了美国最著名的监狱。

这是唯一一部不是因为爱情而打动我的大片。当安迪终于爬出监狱的隧道和臭气熏天的下水道，带着满身淤泥在暴雨中狂喊时，我的泪水奔涌而出。

我对燕子说："我很像安迪，一直在进行自我救赎。"在我逐渐成年的那十多年间，我感谢父母给了我生命，也明白，除了生命，他们没有办法给我更多，于是，我用尽一个孩子所有的力量，来决定着自己的生活，按照自己的方式生活。

2. 逃离"疯人院"

很小的时候，我就经常看着正弯腰斩着猪草、身上溅满猪食的老妈暗暗发誓："绝对不做妈妈一样的人！"我老爸后来回忆说，我那时就在日记中写道："他们太辛苦了，太可怜了，我如果像他们一样，以后就没办法让他们过上好日子了。我们老师说了，对于一个农村的孩子来说，要想有出息，要想让爸妈安享晚年，唯一的出路就是考上大学。"

所以我读小学时，主动做“留级生”，读中学时，经常开夜车。

那几年我们学校似乎总在盖房子，工地上彻夜通明，我上完晚自习，等老师查完宿舍后，经常偷偷跑去工地读书。常常看书看得太累，囫囵睡在了刚做好的预制板上，早上醒来一睁开眼，发现一堆建筑工人正围着我浪笑，吓得我赶紧一骨碌爬起来奔向教室。

我老妈没读过书，老爸只读了“完小”。他们生养了5个孩子，我们的到来带给他们5张要吃饭的嘴，他们为了这5张嘴，得拼命地去生产队挣工分。由于日子太煎熬，又加上性格差异太大，从我记事开始，就经常看到他们吵架。

我读高一时，学校有一次问卷调查，在回答“家对你来说是什么”时，我毫不犹豫地写下了“疯人院”3个字。那时候我们家似乎在中东，战争从来没有休止过，灾难每隔三五天就上演一次。间歇性吵架、打架的爸妈，对处在叛逆期的我来说，那么像“疯子”。

那时候每当爸妈互相辱骂、对打时，我要么拼命读书，要么就躲进爱情小说里，进行着幸福的遨游和冥想，祈祷自己快点长大。我知道他们吵架的主要原因是太穷，等我长大后上了大学、赚了钱就好办了。

我小学时的同学现在大多在老家儿女成群，像我爸妈一样地养育着他们的儿女。上一次回老家，我看到小学三年级时暗恋的班长大人，开着拖拉机，装着高高的一车牛粪，在泥土飞扬的马路上风驰电掣而来，陡然见到我时，一个紧急刹车，牛粪从拖拉机上仓皇倒栽下来，洒满他的全身。他脸红脖子粗地打掉身上的牛粪，模仿着鲁迅先生笔下的老年闰土，两手垂立，“嘿嘿”地跟我打着招呼。

我如果不进行自我救赎，那个为他装牛粪的人可能就是我，最多浪漫地坐在他的牛粪堆上。

感谢上帝的格外宠爱，我虽然吃了一些苦，但我救赎了自己，我得到了自己奋力争取来的一切。我越来越远地离开了那块贫瘠的土地，越来越远地离开了爸妈的生活方式，身上没有一点“疯人院”的影子，我阳光、自信、乐观，从容地过着自己想要的生活，也竭尽全力地帮助兄弟、赡养父母，主动承担着老家几十个人的责任。

回首自我救赎的成长过程，我发现，几乎在任何一个年龄段，我都比同龄人起点低。正是因为我的起点很低，所以定的目标也很低，我的每一个梦想都离现实很近；正是因为我的一切都只能靠自己争取，所以从来不会奢望更多，我走一步看一步，目光短浅地往前走着；只要得到一点，就喜出望外，再得到一点，再喜出望外，我几乎永远都是满足的，永远是快乐的。

我一直在得到，得到的东西一直在累加，所以一直在喜出望外。所有得到的东西都是我自己争取来的，我懂得它的来历，也懂得为它珍惜，也懂得为它快乐。

所以，除了自我救赎外，我的另一个快乐来源，是自我满足。

这些年，当我一年往家里“赶几十头猪”，当我尽心地赡养着爸妈，当我把他们接来深圳，享受他们难以想象的生活时，爸妈常常讲起我小时候的事情，每次说完，他们脸上都会浮现出无比骄傲和满足的表情，而每当这个时候，我的内心总是快乐而纯净，像一只在猪年里格外受宠的猪。

经过二十多年的努力，我甚至锻炼出一种能力，我记不住不快乐的事情，或者很容易忽略不快乐的事情，但对快乐的事情，却记得很牢，并且很容易在心里把它们放大。当我偶尔想起不快乐的事情时，会立即甩甩头，甩掉那些不快乐的事情，或者叹口气后，马上想别的令人快乐的事，渐渐养成快乐的习惯。

去年秋天，燕子的眼睛在罗湖的眼科医院做手术，我去陪她。从眼科医院出来时，正碰到下班高峰期，而我要去报社。短短几公里的路程花了我接近两个小时的时间,但在这两个小时里,我一个人坐在车里,却快乐得像只被喂饱了的笼中小鸟。

我边听着最喜欢的音乐,边跟着节奏敲打着方向盘,开心地想着:“我上夜班,不用赶上下班的高峰期,多幸福啊”、“原来他们天天都是这样塞着车上下班啊”、“塞车的感觉可不那么好受啊,我居然很少感受呢”、“我平时几乎没赶上过大塞车,多幸运啊”、“我很少在这样的时间段这样开车,多好啊”……

当我回到报社时,有位同事正满腔愤怒,我问他怎么了,他说:“今天我去了趟华润万象城,开车回来时,人差点搞崩溃了,塞车塞得我简直不想活了,花了差不多两个小时。”然后他大谈深圳交通之恶劣现状,对有关当局进行了狠狠的痛批。我听完后,笑着对他说:“我也从眼科医院回来,也花了两个小时。”

他很奇怪我居然没有怨言,我说我其实一直在庆幸。然后我把我在这段令人崩溃的时间里的所思所想告诉了他,他很奇怪地说:“从来没见过塞车也能塞出幸福来的,不过,我怎么就没这样想呢”。

人类总是资源很少而欲望很多,所得很少,而想要的却很多。得到的过程中又总是充满烦恼和波折,结果总是事与愿违。

如何进行自我救赎,从不太好的状态转向好的状态,从不太好的心情中救出自己,拥抱好的心情,如何大叹一口气后,快乐地面对自己的人生?每个人或许都能找到自己的办法笑对人生,而我,就是永远的自我救赎和自我满足。

3. 刻意生活，有额外的快乐

2006年的春节，我们是这样度过的。

我和老哥坐在巨大的玻璃窗边，喝着暖融融的咖啡，听着音乐，静静地看着窗外：鹅毛大雪，肆意飘落。

5岁的贝贝在我们身旁的茶几上画着画，画她第一次看到的雪，雪地上的脚印，和我们一起堆的雪人。

贝贝画完她的画后，大声念着平生第一首诗：

天上下大雪，
地上铺满雪。
动物回老家，
人类快乐了。

这不是童话，但我们确实是在童话世界里——冰雪九寨沟，在九寨天堂酒店，快乐着。

我们在冰雪九寨里的那些天，整个沟里每天最多只有50名游客。我们3个人在那些海子之间行走着，好几个小时碰不到另外一个人。我们听着脚踏积雪的"嚓嚓"声，风吹竹子的沙沙声，连贝贝都不忍心破坏那样的静，压低嗓子说："好安静啊。"我们坐在熊猫海边，静静地听着湖面上的冰炸裂在水里，发出"嘣——"、"嘣——"的神奇声响，一声接着一声；我们凭栏站在孔雀海（又叫五花海）边，沉静地看着蓝幽幽的、美丽如孔雀羽毛一样的湖水，忘了呼吸。

在那个童话世界里，我们就这样呆着，享受着彼此，享受着童话

世界。这次旅行把我们的心灵、大脑洗得纤尘不染，让我和老哥都像贝贝一样，回到了童年。

春节是一年当中的重要节日，上一年辛苦了，这一年要有美好的开始，我们决心宠爱自己，没有留在深圳“开招待所”，也没有回老家让亲戚辛苦地招待我门，而是刻意安排了这次反季节的旅行。

对于这样的大假，我总是会精心策划。很平常的周末，我也会刻意来点小创意，比如去野餐。深圳是个适合野餐的地方，无论秋天、冬天和春天都很适合野餐，因为阳光总是很美，青草总是很绿，山、林、湖、海都很容易找到。

只需要去一趟超市，花半个小时，买上每个人爱吃的熟食、凉菜、蛋糕、水果，拎着野餐篮一起去选一块“风水宝地”。

放下野餐篮，在草地上铺上一块大花布，拿出各类美食（到了这里，再普通的食物也会变成美食，因为心情），然后就可以团团围坐了。傻笑几声就开吃吧，享受阳光、享受湖水，看着对面啃鸡腿的人的狼狈样大笑吧。

野餐之后，吊床要支起来，飞碟要飞起来，跳绳要摇起来，羽毛球要打起来，所有的人都要动起来，所有的笑脸都要洋溢开来。

这样吃饭是开心的，是自然的，也是享受的，不会比在家吃花的时间更多，也不会花的钱更多，但快乐一定会多很多。所以，每隔一段时间，贝贝和老哥都会问我：“妈妈，什么时候野餐呢？”

快乐的时光也并不只在节假日。

今年 4 月初的一个下午，突然下起了大雨。我站在窗前，看着大雨磅礴，不由自主地惊叫一声：“哎呀，怎么办？”老哥赶紧问我：“怎么啦？”我说：“绿色隧道的花怎么办？肯定全打掉了！”老哥脸色

我常在绿色隧道流连。

马上缓和了："吓我一大跳！没事，还会有的。"

下完雨后，我和老哥、贝贝开车去看绿色隧道的花怎么样了，顺便享受享受雨后满含负离子的风。

绿色隧道是华侨城城区内一条约两公里的路，只有两个车道，从侨香路通往纯水岸，路两旁种满了浓密的树，几乎完全连荫，拱成一条"绿色隧道"，树间还种了很多簕杜鹃，一年大概有八个月，绿色隧道上爬满了粉红的簕杜鹃。

我们过来一看，树上的花还有，但地上也覆盖了厚厚的一层花，花瓣上带着晶莹的水珠，红成一片，艳盖一路。我们看了又是惊艳，又是伤感。

几年来，我经常在贝贝放学后，接她来这里溜达一两圈，也常和老哥、闺密或独自一人，在这条路上留连，有时开着车，慢慢行驶在这条路上，有时徒步行走在这条路上。有时去上班，我刻意提前 10 分钟出门。这10分钟,我在绿色隧道上流连,看阳光从隧道顶部的树叶间洒落,看簕杜鹃在风中颤微微地缠绵绿树。

这条路没什么车,只有满眼的树和花。我常在这条路上漫步,一趟、两趟、三趟。有时从外面回来还早,就先去绿色隧道兜上两圈,然后带着美好心情回家。

我们就这样刻意生活——刻意生活,才有额外的快乐。

生活原本平淡无奇,生活原本再普通不过。如果让时光自然流走,每个人都只是一顿又一顿地对付着胃,一晚又一晚地对付着瞌睡,一天又一天地对付着工作,生活如流水,没有太多美好回忆。

回首那些快乐的时光,我发现没有哪一次不是刻意得来的,不是有意识地创造的。我们去童话般的冰雪九寨享受宁静,我们去青翠的湖边野餐,我们让花开花落宠爱自己的心情……如果不主动找乐,快乐就不会找上我们,如果不刻意经营,额外的快乐就不会到来,幸福就不会围绕着我们。

那样刻意地生活却不烦不累,那样细细地经营仍有滋有味,是因为我们对快乐有热情的主张。心里有了主张,找乐就很容易。

2002年的元旦,我这样定下那一年的任务:爱好几个人、抓住几个关键词、调动几个元素。“爱好几个人”就是好好地爱身边的几个人,即至亲的爱人、亲人、朋友;“几个关键词”是幸福、快乐、美丽和优雅。

我开始认真地爱身边的人,把宠爱身边的人当做一件很重要的事去做。我主动去做令自己和身边人幸福的事,去细细地感受幸福,把幸福的感觉、幸福的事件收藏在脑海,经常像一头狡猾的牛一样,拿出来反刍,不断放大着幸福。

我认为快乐是需要努力的，所以叫“找乐”。“找乐”找多了，就养成了习惯，知道什么样的事情可以让自己和身边人快乐。

每到簕杜鹃盛开的季节，周末的午后，我们一家三口就一人捧一本书，去鲜花盛开的燕晗山上看。每到南昆山长春笋的季节，我们会自驾车去南昆山浓密的竹林里掰竹笋、采草莓，享受山野之趣。每年初夏的时候，紫荆花要掉落了，我会想起荔枝公园旁边的同兴路，那里的紫荆花树很密，我开着小白过去，拣一些尚好的花瓣放在仪表盘上，然后在这条路上来来回回地溜达，看落花翻飞在后视镜里，看粉红的紫荆花像蝴蝶一样，追着小白跑，起起伏伏，飘飘忽忽。每到冬季的时候，我们就谋划着，找个地方去看雪。

每年，都有一些季节性的快乐；每天，都有一些习惯性的乐子。于是，就算刻意地生活，也有着游刃有余的自然。

有时，甚至会有异想天开的理由。

有一年的 6 月 1 日，我们给贝贝兴高采烈地过着节，突然她因为点什么小事，哭了，我突然来了灵感。等晚上贝贝睡了以后，我对老哥说：“走，现在我们过节去。”他愕然。

德天瀑布和竹筏上的中越边境贸易。越南人民向中国游客拼命兜售着法国香水、巧克力等欧洲商品。

我很有感觉地说："一说到儿童，说到童年，大家的反应都是无忧无虑，都是快乐，但我们在童年时，总有烦恼，就像贝贝他们现在一样，不想上学偏要你上学，想要什么，偏不给你什么，总是有忧有虑，有烦有恼。但现在，我们真的可以无忧无虑了，可以过自己想要的生活了，我们真正地过起了童年，所以我要过儿童节。"

老哥听了我的妙论哈哈大笑，然后我们一起吃哈根达斯，一起看电影，自己给自己买礼物，随心所欲地过起了儿童节。我们俩这样过节的时候，比贝贝幸福得多，像两个真正的孩子。

从那以后，我每年最期待过的节就是六一儿童节，给贝贝过完节后，我和老哥两个人一起过的儿童节。

今年春节，我发了一条信息给众好友："在新的一年，我们拼命快乐啊！"好几个朋友都发回信息给我："真像你的信息，对，要拼命快乐！""哈哈，我已经开始快乐了！"

今年 3 月中旬，我在家写稿写得有些累了，决定开着小白出去遛遛，我想着："深南路修得怎样了呢？去验收一下吧。两旁的树该发新芽了吧，去看看吧。"

真感谢这个小小的创意，春天刚刚来到，而我没有错过！新修的深南路开起来像行驶在云里，两旁的树刚好吐出鹅黄的新绿，冒出可爱的小尖尖，我和小白滑行在深南路，心情飞了起来。我忍不住把车停路旁发了条信息，把我的开心分享给身边可爱的人。

回来经过特区报业大厦时，深南路中间的绿化带开始喷起了水，密密的水和水雾喷洒在青草和美人蕉上，非常清新、和谐。我正享受着，突然，看到两只小鸟在水雾里跳跃，叽叽喳喳，欢叫着，玩着水。短短的一瞬，我眼睛的余光在行驶的车里捕捉到了这个场景，我的耳朵通过打开的车窗听到了小鸟的叫声，我心里涌出柔软的温暖和感

动：就在我的身边，就在繁华的深南路，就在车水马龙的地段，我看到了这么美好的场景！

后来，我经常想起这个场景，为生命感动，为深圳感动，为我能生活在这样的都市感动。能够让小鸟在这么繁华的闹市，有如此灵动而自在的生命感觉的地方，怎么会是沙漠呢？

生活中有太多快乐的理由，只要对生活有主张，就会细细地去感受，就会刻意地去经营，就不会错过生命中的任何美好。

我经常觉得自己像只精明的猎犬，对幸福保持着高度的"警觉"和敏感，总是张开着鼻翼，准备随时冲向幸福。当我无数次地感谢上帝的格外宠爱，带给我生命中想要的一切时，我也仿佛同时听到上帝的声音："孩子，没有谁比你们更认真地在生活，你们把幸福一分掰成了三瓣来用，所以你们幸福。"

4. 信仰爱

著名的普鲁斯特问卷（Proust Questionnaire）因《追忆逝水年华》的作者 Marcel Proust 的特别答案而出名，问卷的问题包括被提问者的生活、思想、价值观及人生经验等。有一段时间，《周末画报》

“文化栏目”每期邀请国内外知名人士来回答这一问卷,我每次一拿到《周末画报》,第一时间翻看的就是这问卷。

有一次,我正打开这一页,玛亚说:“现在,由我来采访你。”

你认为最理想的快乐是怎样的?

和爱人相爱一生。

你最害怕的是什么?

失去所爱的人。

还在世的人中你最钦佩的是谁?

我是那两个家伙的崇拜者,你知道。

你自己的哪个特点让你觉得最痛恨?

没有痛恨,只是有点拿自己没办法,哎呀,太懒(掩嘴偷笑)。

你最痛恨别人的什么特点?

不懂爱。

你觉得最奢侈的是什么?

和爱人相爱一生。

如果有下辈子,你希望成为什么人?

心中有爱、有美的人。

你对自己外表的哪一点最不满意?

要问问我的爱人。

还在世的人中,你最轻视的人是谁?

不懂得爱的人。

你过多使用的单词或短语是什么?

爱。

你最伤痛的事是什么?

没有。

你这一生中最爱什么?

人。

何时是你生命中最快乐的时刻?

很多,我是个快乐的收藏家。

你最希望拥有哪种才华?

不同的时刻有不同的希望。

你目前的心境怎样?

幸福。

你认为你最伟大的成就是什么?

要看我爱的人怎么说。

如果你能选择的话,你希望让什么重现?

美好的事情总是层出不穷,想要的还会再有。

你最珍惜的财产是什么?

爱。

你认为程度最浅的痛苦是什么?

没有痛苦,只有待解决的事。

你最喜欢的职业是什么?

爱人。

你本身最显著的特点是什么?

幸福。

你最喜欢男性的什么品质?

从容并懂得爱。

你最喜欢女性的什么品质?

独立并懂得爱。

你最看重朋友的什么特点?

懂得爱。

你最希望以什么样的方式死去?

爱死。

你的座右铭是什么?

这是一个幸福的女人,这是一个好爱人——生前是座右铭,死后是墓志铭。

玛亚边采访边狂笑,最后大叫一声:"天啦,全是'爱'。"我也大笑:"我必须要有爱,有爱才能活,我是信仰爱的人。"

奇怪吧,我居然自创宗教。我身边的朋友信仰宗教的越来越多,当大家谈到信仰,问起我时,我会说:"我也有信仰,不过我的信仰和你们的不一样。"然后我沉默一小会儿,等大家有了足够的心理准备之后,我很肯定地说:"我的信仰是爱。"

因为有爱,两个人共吃 5 块钱的晚饭,有如美味佳肴;因为有爱,阳台上搭的简易床有如王子与公主的婚床;因为有爱,有钱没钱一样可以共创天堂;因为有爱,一个原本陌生的人,突然成为你最亲的人。

只有爱,才能让我们的精神有力量,只有爱,才能让我们的灵魂不空洞。

如果没有爱,家只是个空洞的物理概念,只是钢筋混凝土堆砌出来睡觉的地方;如果没有爱,跟你生活在一起的人,只是个有机生物体,在你心里没有任何意义;如果没有爱,周围的亲人一个个都是麻烦的替身……

我用爱来解释一切,我的一切做法都是因为有爱。我后来还把爱发扬光大,扩充成广义的爱:爱爱人、爱亲人、爱朋友,关爱需要爱的人,关爱值得爱的人,甚至爱大自然、爱有生命的万物。我想着,既

文莱的火烧云。老哥说，他当时就像这棵树，看傻了。

然是信仰，好歹得有一套系统理论嘛，虽然迄今为止，该宗教的创立者和信仰者，还都集于本人一身。

仔细想来，我的信仰起源于我小时候对爱的饥渴。

那时候，爸妈疲于应付我们5张要吃饭的嘴、5个似乎永远填不满的胃，哪怕一定要表达那种基于血缘的、原始的父爱和母爱，也是极其粗放的。这也是当然，对于被生存压弯了腰的人来说，要站起来表达爱，和生存一样艰难。没有人能怀疑任何父母对孩子的爱，但对他们那一代父母来说，表达出来的爱，犹如暗夜的流星，稀缺的爱总是一闪而过。

更何况，从我记事时起，爸妈之间的内战，就从来没有消停过。他们所创造的那种把对方往死里整的氛围，常让我怀疑我们几个孩子，都是他们不幸在路边捡来的。

对爱饥渴时，爱就高于一切，爱就是全部。我一边通过想象填充着自己，一边发誓，如果我以后有了孩子，我一定爱他，宠他。当我看到奋战中的爸妈和硝烟弥漫的家时，我发誓，如果我有了爱人，我一定爱他甚于爱自己，我要创造无比浓烈、浪漫的爱情，我们永不吵架，也绝不在我们的孩子面前吵架。

我那样发誓，也那样去准备，我用想象中的爱，丰富着小小的灵魂。所以，除了正常的学习，其他时间，我都是一头扎进想象中爱的世界，尽情遨游。

读中学时，我们周围充满了琼瑶的爱情小说，我几乎一本都没有落下过，我一边在书里享受着爱情，一边在想象中模拟着去爱。我把那些爱情故事作为案例一一进行分析、评点，我设想着，如果是我，要如何去爱。

后来，我发现在金庸、梁羽生的武侠小说里，有更唯美的爱情，有更生生死死的爱情，我又在他们所构筑的世界里去爱。我为他们哭，为他们笑，和他们一起浪迹天涯，和他们一起笑傲江湖。我依然设想着，如果是我，要如何去爱。

上大学以后，读中文系的我，看小说成了专业，古今中外的小说，万变不离其宗的只有爱情。我一边博览群书，一边搜寻着爱情，我依然设想着，如果是我，如何去爱。

终于有一天，我的这种积累突然爆发了，我成了众人口中的“爱神”。

5. 爱神赐招

“爱神”的称号来源于我读大学时的“表白创意”事业。

上大一时，有一天一位老乡跟我说，他爱上了一位女孩，但不知道怎么跟她说。我说：“马上就是圣诞了，你买个礼物送给她，然后勇敢地表白嘛。”

他有些木讷地说：“我不知道买什么，也不知道怎么说。”我问他：“你以前喜欢过女孩子没有？”他摇摇头。我想了想，说：“有了，你去买一块手表，然后写一张卡片，表不就是表白吗？手表，就是‘首次表白’嘛，你在这两点上做文章。”他乐不颠颠地跑去花几百元买了块时尚表，但在写卡片时，撕掉了几张，还觉得不行。他又跑来找我，叫我干脆给他写好得了。

我模拟着他的心境，写下了这些文字：

我买下这块表送给你，
是因为我必须要表白；
我买下这块手表送给你，
是因为我必须做出生命中的首次表白；
我希望这块手表，能戴到你的手上，
一辈子；
如果，
这个世界还有时间，
你就还有我的爱。

我在几千年的吴哥古迹里静坐。

我把这些字写在一张纸上，叫老乡拿去誊抄，据说，后来他“表”到功成，他的女朋友，即现在的老婆，把卡片一直保留着。

后来，我的这个创意和我写的这些文字，在老乡当中十分隐秘地流传开来，没过多久，我的生意火起来，每年圣诞、元旦、情人节到来的时候，我的生意就异常繁忙。有人开始偷偷叫我“爱神”，为了把马屁拍到家，见我时，还做出拜见教主的搞笑姿势，说着“请爱神赐招”之类的专业术语。而我，一被人扣上这顶帽子，总是让思维天花乱坠般地工作，然后基本都能让来者得创意而归。

有一次一位男老乡面色有点窘地回答说：“我只能买个 30 块以内的。”我想了想说：“钱不在多，而在你的心意，你去买一个比较精美，或者比较可爱的杯子，杯子谐音“辈子”，你在‘给你我的一辈子’上发挥一下。还有，杯子是可以亲吻到的，这一点你要表达得含蓄而深沉，卡片要尽量美。”

后来，我的声名甚至远播至教师队伍，教我们古典文学的教授对我说，他14岁的女儿根本不理他，他想在元旦的时候送她一个新年礼物，改善一下关系，但不知道要送什么。

我接此重任后非常兴奋，在心里暗自得意，我的创意产业发展得如火如荼呢！不过这个礼物不好买，既不了解她的喜好，也不了解她的需要，随便买个什么礼物也达不到改善关系的目的。

我想了很久后，对教授说："您的这个礼物比较特别，是一个'挨宰的爸爸'。"教授听了一愣。我继续说："她可以通过您，完成任何一个心愿，买任何一样东西，您无条件掏腰包，心甘情愿地'挨宰'。"

"在元旦那天，你送她一个'挨宰的爸爸'，然后，跟她一起上街去买，随便她挑礼物，你就有了跟她相处的时间。她肯定有很多想要的东西，但机会只有一次，所以她会犹豫不定，甚至会要求你帮她做选择，这样一来，买礼物的过程就变成了你了解她的过程，变成了你们共同完成心愿，并制造以后的共同话题的过程，她那些没有完成的心愿，你可以记在心里，下次再过节时，就知道买什么礼物了。"教授边听边笑，似乎他和女儿的关系已经回到了她小时侯。听完后，他呵呵地笑着说："真不愧是爱神呀。"

后来，教授在元旦那天，和女儿逛了一整天，经过十多次犹豫和比较后，终于选定了一个礼物。通过这一"宰"，教授争取回来了和女儿的亲密关系。期末考试时，我那一门古典文学的成绩，悄没声息地得了个优等。

付出总有回报，经过几年表白创意的积累，我明白了方法的价值。我逐渐意识到，表达爱，关键在方式的选择上。表达的方式很多，但只有一种是最好的。表达爱是这样，做别的事情也是这样。

那些年，我慢慢养成思维习惯，在做一件事情之前，先想方法，对方法进行比较后，尽量找到最好的那种方法，然后再去做。面对较大的事是这样，鸡毛蒜皮的小事也这样。

有一次，我自告奋勇地做晚饭，并且扬言要推出惊喜。之前的两天，我在餐馆吃到很美味的家常菜，感觉自己在家也能做，准备那晚在家露一手，做几道新菜。

老哥看我那么积极，也就放心地上网去了。那一阵，有好几个热门话题。老哥在论坛上起劲地遛着，不时发表评论。

我兴高采烈地做完饭后，大叫："开饭啦！"贝贝和大姐、二姐立即开心而好奇地走向餐厅，老哥没有动静。过了一会儿，饭装好了，菜上桌了，老哥还在书房，我又跑过去对他说："老哥，吃饭了，不好吃不要钱。我去洗把脸，你赶紧过来啊。"

洗完脸过来，贝贝他们3个坐在餐桌边跃跃欲试，老哥的座位却还是空的。我有点火了：我这么开心，又这么辛苦，他居然完全不以为意，而且有两道菜还要趁热吃才好吃的。

我气冲冲地走向书房，快到门口了，正准备"教育"一下他，又转念一想："我如果把火发出来，今天的晚饭就白费心机了，吃饭的氛围就全搞砸了。是叫他？还是我们先吃？叫他的话，怎么叫？"我这么一想之后，突然有了主意，掏出兜里的手机给他发了条短信："老哥，快来救我们，餐厅被我们4个人的口水淹了。"

我刚一回到餐厅坐下，老哥就大笑着跑出来："快抗洪抢险啊。"然后，他边大吃边对我极力讨好，无比夸张地表扬着我的新菜式，以弥补他迟来的过失。我看他那发誓要把我逗笑的神情，也就一笑置之了。宽容一些小事，是一个以幸福为己任的人，随时需要做的事。

感觉到我们家的和谐后，很多朋友常要我教他们几招，我总是笑笑说:“我只有一招,就是凡事先想方法,然后找到最好的方法。”

有一天晚上,我可能要上班,老哥听我说要上班,贝贝又不在家,就说:“我有个饭局一直没推掉,那干脆也安排在今晚算了。”

后来我又没有上班了,一个人在客厅听着音乐,看着书,开始还很惬意,后来有点闷了,希望他早点回来。

我不想一个人在家等很久;我不想已经在家等很久之后,再抱怨他为什么不早点回来;我也不能硬性要求他早点回来:作为一个深圳男人,作为一名律师,我敢肯定他是回家吃晚饭最多的那一个;结论是,我要让他心甘情愿地、早早地回到我的身边。

我想了一会儿之后,给他发了这条短信:“哥,没有谁通知我去上班,看来今晚最值得做的事情,就是等你回来,甜蜜地……”

我对这条短信的措辞格外用心:首先,我告诉他情况发生了变化,要不他还以为我上班去了呢,可不就信息不对称了?其次,我把等他当做是那晚最值得做的事,甜蜜的事。很显然,我用了个小花招,没有人会让一个正甜蜜地等着他、正开心地等着他的人,等很久的。相反,如果你强令他不可以让你等很久,那结果可能恰恰需要你等很久,因为理由总是可以找到很多。

信息马上就有了回复:“太好了,宝贝,我会尽量早点回。”哈,我一喜,又发了一条:“好乖,亲你。”我发完这两条信息之后,就开始真正甜蜜地看书了,我几乎可以跟自己打个赌,老哥肯定会在9点半之前回来。

一切如我所料,老哥在9点一刻就回到了家,他一进家门就大叫:“妹,我回家来和你约会了啊。”他说,那天在回家的路上,他有一种“奔赴爱人”的感觉。

提要求的时候要考虑方法,批评的时候就更需要了。批评是为了改进，不好的批评不但达不到目的，还可能引发争吵，甚至损伤彼此的感情。

我不会贸贸然批评老哥和贝贝，批评他们之前，我会先仔细考虑怎样表达，然后再想想他们的感受，最后找时机。

有一次我发现老哥在吃晚饭时，把餐桌当成了讲坛，对贝贝有待改进的地方，当即进行批评，贝贝马上哭了。可以想象，不仅贝贝没吃好饭，我们大家都没吃好，晚餐的气氛一破坏，吃饭就变成了口腔运动。我当时没有对老哥说什么，只尽力挽救气氛，做些善后的事情。

过了两天，我看老哥心情很平和地在喝茶，感觉是时机了，就对他说："老哥，你觉得一家人吃晚饭的时候重要吗？""重要啊。""你觉得吃晚饭的气氛重要吗？""很重要啊。""很多这样的父母，他们一吃饭就开始教育孩子，发现孩子有什么不对，一筷子敲在孩子的头上，然后孩子'哇'地一声哭了，吃饭的气氛立即破坏了。还有的父母，总是边吃饭边凶孩子，大家不表扬饭菜，不说开心的话，而是大开批斗会。你当然不是那样的爸爸，你比那样的爸爸好多了，好太多、太多了。不过，你肯定不喜欢吃饭的时候看到贝贝哭吧？肯定也觉得把吃饭的时候用来教育贝贝，不是最好的时机吧？吃晚饭的时候，是一家人享受天伦之乐的团聚时刻。所以，你可以做得更好。贝贝是个很好沟通的人，她最听你的话了。"老哥听了笑笑，说："谢谢提醒，谢谢提醒。"

面对比较大的事情，人们总是会尽力去想办法，但在家庭小事上，很少有人会去多想。其实家庭小事更容易带来伤害，带来坏心情，会影响到生活的质量，会影响到做大事情的效率。

小事情，其实需要大智慧。

6. 美丽不能忘

有一天，老哥和我在家“鬼混”，转眼到中午了，我们散步去华侨城生态广场吃午饭。

那天阳光很美，走在人行道上，头顶的紫荆花一路绚烂，偶尔还有花瓣飘落到身上，我和老哥在花树下走着，心情都很灿烂。老哥很欢喜地看着我，取笑着对我说：“你看上去也就一普通工厂打工妹嘛，我为什么这么爱你呢。”

我立即做出反应：“可是我的灵魂无比高贵，我的思想无比智慧，我爱你的那颗心永远不变。怎么样？顿时像莎士比亚笔下的村姑了吧。”老哥大笑：“那是，你一说‘莎士比亚’，我就知道不是一般的打工妹了。”

尽管只是老哥的一句玩笑话，尽管老哥那句话想表达的主要意思是他的爱，而且我还用一连串漂亮词语挣回了面子，但是，那天晚上洗完澡后，我别有用心地穿了那件我非常珍爱的睡衣。

那件睡衣是一位朋友从巴黎给我买回来的，它有着浪漫之都特有的气质，泛着酽酽的酒红色，似露非露的背、柔滑的纯丝质地，让人永远有着轻抚它的愿望，再加上是曳地的长裙，裙摆和我的光脚丫在木地板上灵动起伏时，犹如奏响无声的小夜曲。作为氛围制造高手，我还点上了香薰和蜡烛，当我看见老哥那一脸夸张的惊艳时，我知道，有关中午我那套打工妹行头的记忆，在老哥脑海中彻底刷新了。

这件事情留给我的思考是，当我不美时，千万别以为老哥看不到；当我长期不“为悦己者容”时，千万别怪老哥被别人吸引。

值得庆幸的是，老哥会提醒我，会对我的美和不美做敏感的反应。

我爸妈生的孩子明显男女比例失调，我有3个哥哥和一个弟弟，我从小跟他们一块混大。小时候我的主要服装来源是，大哥穿不了给二哥，二哥穿不了给三哥，三哥再穿不了才给我的衣服，冬天一律蓝色棉袄，夏天基本背心短裤。后来老妈还干脆把我的头发也剪成男孩头，实行统一化管理。

至于那时候长盛不衰的游戏活动——打野仗，本人也一直荣任我军的参谋长，与所有善于冲锋陷阵的男孩子们并肩作战，并屡建战功。

中学的时候，本人酷爱金庸、梁羽生、古龙的武侠小说，一本一本连着看，对各大宝典以及秘籍烂熟于心之后，就和男生月下比武，切磋技艺。那时候还流行通过比胆大胆小来决胜江湖，我有一次因为在学校对面的坟山独宿整晚，而得以威镇全校。

读高中后，有男生偷偷往我书里夹情书时，才突然明白自己不是男生而是女生。

在我自然混长的过程中，美丽不曾帮过我什么忙，包括被人爱上，和被人娶做老婆。

直到后来生了贝贝，我才开始认真思考"女人"这两个字，开始认真学习做女人。我开始明白，美丽，是女人一生最重要的事情之一。

当我想明白这一点时，产假已经休了四个多月，也就是说，我用两件宽松的睡衣打天下已经有一百多天。我对着镜子，看着几个月来为孕育贝贝而疯长的肥肉，它们并没有因为贝贝的出生而被带走，而且还在发挥继续成长的可怕惯性。我身上的睡衣，用令人迷恋的舒服，颠覆了我身上的一切美感。

那天，我努力而近乎绝望地打扮了一下自己。当老哥下班回来，看到我的那一刹那，他眼睛猛然放光，脸上仿佛有神奇玫瑰，瞬间绽放。我认真地看着老哥的反应和表情，内心无比地抱歉：我怎么可以给他生个又哭又闹的孩子之后，再带给他一个臃肿、烦琐的老婆呢？我怎么可以站在儒雅依旧的他身边而不尽量美丽呢？

我开始用心体会一个新爸爸的心境，一个由两口之家变成五口之家的当家人心境，一个在外要面对工作和领导，在家要面对难缠的老婆和孩子的男人的心境。我开始体会这些的时候，就开始温柔，开始用温柔打扮老哥的心境，也打扮自己的表情。

第二天，我开始研究产后形体恢复操。接下来的 45 天，我的体重狂减了 28 斤。当我休完产假再去报社上班时，有同事打趣说："你到底生没生小孩？"听到他们这样问，我突然想起优雅、闲适的闺密美怡的一句话："一个女人，有着轻盈灵动的身体，是多么诗意的事情。"

从那时起，我开始研究美感。女人天生就是女人，更何况想认真做女人？想认真做女人，想让自己具备美感，这个念头，其实就是魔法棒，就能让自己变美。

更何况，女人想要美丽，一定有很多办法。除了用有美感的东西打扮自己以外，我还发现了一个独家美容秘方——幸福，用幸福打扮自己。

我认为，一个幸福的女人，她的内心是慈悲的、善良的，有充满仁爱的同情之心；一个幸福的女人，她的内心是温暖的、柔软的，面对任何事、任何人，都平和泰然，心情恬淡；一个幸福的女人，她是富有包容心和理解力的，她对一切都宽容豁达。这些心境，所折射出来的表情，是柔和的、美丽的，会有一种幸福的光泽，缠绕在脸上，周身散发——这就是"相由心生"。

我们改变不了自己的身体机能，但有能力对自己的表情负责，我们可以经营自己的心境，用心境来打扮自己。这种打扮，是任何化妆品、任何服饰都无法比拟的。

于是，休完产假以后，我获得了3样美感法宝：尽量美丽的服饰、温柔的表情、幸福的心境。

美丽其实就像一个人的体重，忘记它的时候，体重可能就不再是想要的体重了。只要不忘记美丽，美丽就会乖乖在身上呆着。

7. 臭美让人如此快乐

经过产假期间的思考和整理，我明白了着装是一种表达，衣服是一种心境。一个人的外在，其实是内心的一种折射。你还没张口，但你的心情，你的快乐，你的幸福，早已被你的观众感觉。虽然“人不可貌相”，但其实每个人都是衣装势利鬼，在自觉不自觉地“以貌取人”，通过你给出的表面信息，来判断着你。

更何况，表达美丽，有着令人陶醉的连锁反应。你会看到爱人欣喜的表情，会听到赞美，会收获欣赏的眼神，这些，都会让你开心。你露出可爱的笑脸，为你的着装画龙点睛。特别是，当你懂得为自己而美丽的时候，那份气定神闲，那份自满的优雅，那份自娱自乐的得意，更会让你无比开怀。你会惊奇地发现，美丽，让人如此快乐！

我就这样满心欢喜地臭美起来，把衣柜变成了魔法仓，拿出一件件衣服来搭着、配着、试着，在镜子面前扭来扭去，在家人面前肆意地搭着T型台。后来，又学会了戴帽子、用丝巾，并自悟到了项链的妙用。于是臭美一再升级，快乐猛增段位。

今年3月，我参加了一次小小的春游，Cherry一见到我就说："我就知道你会戴帽子，我本来也想戴帽子的，但马上想到了你，就对自己说，算了吧，再怎么好看的帽子也肯定不如你的，果不其然。"我笑着说："帽美如花嘛，花不嫌多呀。"

老哥常常取笑我的"傻帽"真多，而我则数着一顶顶帽子，骄傲地说："你没发现，再平常的衣服，只要配上顶好帽子，就有着立竿见影的吸引眼球效果？"——帽子，成了我的视觉标志物之一。

除帽子外，还有项链。好多朋友都跟我说："我只要一看到你，就会条件反射地往你的脖子上瞅，看你今天戴什么样的项链。"

我哪天如果没戴项链，必然遭到盘问。除非是高领，或者衣服过于繁复，否则我都会戴项链。我把项链当做衣服的一部分，是衣服必不可少的配饰，要么用项链来上下呼应，要么用项链来画龙点睛。如果在穿衣服时不戴条项链，我会感觉衣服还没穿完。

我的项链来自古今中外，几年累积下来，已经一百多条了，所以每套衣服基本都能找到与它相配的项链。项链的价格从20元到2000元不等，绝无收藏价值，但我的视觉时尚，一半得仰仗它们。我到哪里旅游，必淘的纪念品是项链。我的朋友们都知道我喜欢项链，无论去哪里，给我带的手信基本都是项链。

前 玛亚送给我的生日礼物，是有12种戴法的项链，我和老哥推陈出新地演绎出20种戴法。她把项链给我时说："一说到给你买礼物，第一时间想到的就是项链。"

我通常在决定穿某套衣服时，会立即想到用哪些项链来配，穿好衣服后再一条条地去试，有时候试第一条时，就感觉很对了，在心里大叫一声"耶"，开心地收场。有时候，要配好几次，才发现是绝配，然后眼前一亮，哈哈，就是你了。

我和老哥一直想买个放项链的柜子，至今未果。我的项链在我们家的衣柜、化妆柜、壁柜里，到处都有埋伏。有的较长时间没戴，就会被我遗忘。找项链配衣服时，我经常意外地发现被遗忘了的项链，跟那天我要穿的衣服居然是绝配，那份开心，就像意外地收到一直想要的惊喜。

还有一样好玩的东西是鞋子。

我们要装修华侨城这房子的时候，老哥胸有成竹地说："在我没装修好之前，你不许踏进去半步啊，不过你现在可以提要求。"我说："我的要求很简单，春夏秋冬四季分明的衣柜，可以放两百双鞋的鞋柜。"老哥大叫一声："你的梦真黑呀！

老哥后来并没有让我黑梦成真，我也并没有两百双鞋子，究竟有多少，当然也没数过。要穿鞋时，我常常得在几个鞋柜里找鞋子。鞋子是着装到最后的那个完美的句号，它能起到一锤定音的效果，是休闲、是随意、是淑女、是不羁，一身的感觉，都由鞋子来下定论，所以得有足够的耐心。

当我穿好鞋子，确定了最后的那个音符，那轻快的一声关门，就是拍卖师数到最后的漂亮一锤。我走进电梯，看到得意的表情浮现在镜子里，总算完成了整套臭美流程。

还有一种美丽，能带来快乐，但属于秘密，它是女人一天当中最后的温柔——睡衣。

睡衣不完全是穿着睡觉的衣服，有的睡衣甚至根本不适合穿着睡觉。有的睡衣一天的使用时间，只有 5 分钟或者半个小时。它是在特别的时候，秀给特别的人看的，是给爱人的温柔一激。或是自恋的女人，给自已的宠爱和甜蜜小心情。

不能忽略那5分钟，就像不能忽略爱人。不能因为可能只有5分钟而不去买，而且还要买多点，也不能因为只有5分钟而不去换，不过可以换慢一点。睡衣属于浪漫，它要让你带着魅惑入梦。它拥有一项使命，要令你一天当中最后的时光，快乐。

8. 我把幸福当成墓志铭

不知道从什么时候开始，我MSN的名字成了"全世界最幸福的女人"，刚加我MSN的人，几乎都无一例外地从我这个狂妄的名字说起，我也常常趁机兜售点个人理念，然后这狂妄的名字就会被通过。

但在一次闺密聚会上，这狂妄的名字遭到了群殴。她们众口一辞地强烈建议，让我把名字改了，原因是她们一看到我的"全世界最幸福的女人"的名字，就觉得她们自己是"全世界最不幸的女人"，然后发挥集体的智慧给我改名，最后成了——"大家幸福，才是真的幸福"。

不过这个颇有觉悟的名字用的时间并不长。因为我发现用了这个名字，并没有使得"大家幸福"，却让我没那么幸福。最后，经一一请示汇报，我又重新获准使用"全世界最幸福的女人"做我MSN的名字，并且决定不再改变。

这个名字是我的精神号角，是我的幸福指令，一见到它，我就必须幸福。我扛着这面狂妄的旗帜在网络世界里驰骋，在我的精神世界里张扬。这些年来，只要一看到这个名字，我就幸福满怀，就心灵愉悦。显然，这是一种强烈的心理暗示。

有一次，女友Vivian很有兴趣探究我的幸福理由，我跟她说了一些小事，一些让我幸福的日常小事。她听完后非常吃惊地说："照你这么说，我也是全世界最幸福的女人咯。”我说：“是呀，你就是。”她兴高采烈起来，经我一说，似乎一切都有改变。她的儿子顿时健康可爱了，自己顿时温柔可人，工作顿时稳定而收入颇丰。

我还对她说，如果感到幸福，你就说出来，对自己说，对让你幸福的人说，对身边听得懂的人说。你这么一说，你会发现你的幸福感更强了，你拥有了加强版的幸福生活，你把幸福放大了，其他令你不开心的事就会变小。我说，你试试看。

几天后，她很开心地对我说：“真的，我明显感到幸福了、内心平和了，对生活突然有了满足感。”我说：“那你再试着去做点事情，让你身边的人，让你爱的人感到幸福。如果他们没有为你做的事情感到幸福，你很有技巧地提醒他们，让他们有明确的幸福感。然后，你们就会拥有一个幸福的氛围。”

她大笑：“这是提高幸福能力几步曲吧？”

我说，这是我的独家秘籍。

在我心里，收藏着很多幸福的事情，当我有空发呆的时候，当我面对夕阳看水的时候，当我在月夜散步的时候，当我听音乐的时候，我都会反复咀嚼着我的幸福。当然，也不一定是特定的时间，可能只是一个普通的瞬间，或者被一件小事触动，我都可能在体味着幸福。

我愿意在朋友面前大声说自己是幸福的女人，开心地和朋友们分享，把一些看起来很普通的小事改编成阳光灿烂的剧本。我有时略举一两个细节，说明自己的幸福，有时兴起，阐述着整套幸福理论。

我也做着令身边人感到幸福的事，有一天看到天空有罕见的蓝天白云，赶紧把车停在路边，发短信给几个好友：“赶紧收礼物，抬头看天空，那漫天的白云都是我送给你的！”朋友们一收到短信，都兴高采烈地回短信。他们为此感到幸福，我就更幸福。

看到老哥在沙发上看书，我塞个抱枕到他背下，倒杯他喜爱的绿茶放到他身边；他上网太久，我冷不丁对坐到他腿上，然后大扮鬼脸，或者说些“全世界最肉麻的话”。我会在有美丽夕阳的下午，接了放学后的贝贝去纯水岸的湖边喂鸭子，我买来贝贝喜欢的东西偷偷藏起来，要她争取一个个“神秘”礼物……

渐渐地，我对幸福两个字，体会越来越深。几年前，我一时顿悟，写好了我的墓志铭：这是一个幸福的女人，这是一个好爱人。

我希望，经过我的墓碑的人，看到这两句话，能够有美好的联想：“深埋在这里的，是一个什么样的女人？是怎样幸福的一个女人？她的一生拥有过什么样的幸福？这是一个什么样的爱人？她爱过什么样的人，什么样的人爱过她？他们是怎样相爱的？她怎样成为一个好爱人的？”

我想，许多年后，躺在墓地里的我，看到经过我墓碑的人们那好奇而愉悦的神情，我依然会感觉自己是“全世界最幸福的女人”。

贝贝画，我读，老哥拍，我们总是以这样的方式亲近自然。

9. 有一个人比我更幸福

我其实不是全世界最幸福的人,有一个人比我更幸福,他是柬埔寨的一名导游,小刘。去年 7 月,我有幸去了一趟柬埔寨,认识了小刘,他是住在柬埔寨的第五代华侨。

我从来没见过一个成年男人有他那么灿烂的笑容,有他那么富有感染力的笑声。他经常边笑边擦着眼泪,笑得自己头痛。看着他狂笑的时候,我有时觉得是黄河流到了壶口瀑布,没有办法不奔泻,有时又觉得是天使太开心,没有办法不带给大家欢愉。

他经常为一些小事狂笑不止,有一次游伴 Cherry 跟他抱怨:"导游,昨天不是说好 7 点 45 起床吗?为什么今早 7 点半就叫起了?"小刘听了突然大笑起来,笑得直喘,声音浩浩荡荡,充盈了旅行车的每个角落,我们看他那样狂笑,也跟着他笑。等他终于止住大笑以后,他才边笑边说:"我看你昨天迟到了 15 分钟,所以特意把你们房间的 morning-call 提前了 15 分钟,没想到被你发现了,哈哈……"他为自己的小花招无比得意,那表情就像个百分之百的孩子,无比单纯、纯净。

从金边去吴哥的路上有好几个小时,作为导游,他偶尔会给我们讲个笑话,那些笑话对我们来说并不那么好笑,但他总是把自己逗得大笑,经常一笑就是两三分钟,怎么忍都忍不住,我们只有看他前仰后合的时候,全车的人才会陆续因为他笑起来,而不是他的笑话。

我们有时觉得他很搞笑,有时又很羡慕他。后来我忍不住问他:"你为什么这么开心?你一直这么爱笑吗?"他说:"因为我太幸福了,太开心了,我觉得自己是全世界最幸福的人。我并不是从来就这么爱笑的，可能是有20年没有笑过吧，积在那里，搞得现在只要一笑就不可收拾。”

他跟我们讲起他的从前，我们听得无限悲凉，可他回忆着那些凄惨的往事的时候，依然浅浅地笑着，他已经完全从悲惨中走出来，变得很幸福，很安宁。

1975年，小刘5岁时，柬埔寨进入红色高棉时代，他们四代同堂的一家35口人，像其他几百万金边人一样，被波布的军队逐出首都，赶往柬埔寨的北方农村，接受农村改造，实践所谓的农业乌托邦计划，走上了一条惨无人道的不归路。

红色高棉视知识为罪恶，不设学校，禁用书籍和印刷品。只准唱革命歌、跳革命舞，每天食不果腹地从事超强度的体力劳动。所有人按军事编制，分男劳动队和女劳动队，一律强制接受劳动。吃饭在公社大食堂，每人配碗筷，开始一天三餐，后来一天两餐，没过多久，干饭变稀饭，最后，野菜、草根、树皮、蟋蟀、壁虎都成了果腹的美味佳肴，于是，大量的人饿死。据说，在那一段时间，柬埔寨至少有一百多万人因为劳累、饥饿、营养不良而死去。

小刘说，那些年他最大的感觉是饿。正长身体的他从来没吃饱过，他说能听到的唯一的歌声是自己饥肠辘辘时，肚子的嚎叫声。当时很多人因为太饿，偷食堂的东西吃，结果被活活打死，其中就包括他的二叔。

他的二叔在公社大食堂煮饭，有一次因为接待波布军队的军官，做了肉吃。小刘去食堂时，二叔冒死在他的饭盆里藏了一块肥肉，上面盖上米饭。10岁的他一看，吓得脸色发白。他知道要是被人发现了，一定会被当场活活打死，一想到这里，他立即吓得腿脚发软。

出了食堂门，他不由自主地猛跑起来，他知道最好的办法，是赶紧送回家，立即吃到肚子里。可是跑到半路上，迎面碰到食堂的管理人员，他的双腿条件反射地像筛糠一样抖起来，脸色煞白。管理人员一看他那副样子，马上有了职业的警觉，厉声问他："饭盒里装了什么？"他哆哆嗦嗦地回答："肉。"他这轻轻的一个字，给自己的二叔判了死刑。

后来，二叔被两个人拿一片带锯齿的棕糖树叶，在他面前，活活地锯死了。棕糖树在柬埔寨随处可见，非常高大。树叶很粗很硬很长，像几倍大的剑麻，叶子的两侧有很尖的锯齿。在红色高棉时代，常用来做刑具。为了对小刘进行警告，在对二叔执刑时，他被两个大人抓着，才 10 岁的他眼睁睁地看着自己的二叔在他面前凄厉地嚎叫着，呻吟着，死去。死时，鲜血满地。

说到这里时，他黯然，眼里流出了眼泪，我也跟着流。更可怕的是，他不只是亲眼目睹了二叔的惨死，还眼睁睁地目睹了其他十多位亲人的死亡。当小刘再回到金边时，曾经有 35 个人的家族只剩下 7 人。

在红色高棉的血腥统治时期，在那样一个令人发指的恐怖年代，柬埔寨有三百多万人因各种原因惨死，而当时柬埔寨总人口不过七百多万人。年少的小刘看尽了人间惨剧，听惯了死前的嚎叫，成了幸存者。

他说，当他和母亲 20 年后步行回金边时，一路上有好几天没有喝一口水，因为全被尸体污染了，每一条河、每一个池塘里，都漂着尸体。有一天晚上月亮很亮，他们走到一条河边，欣喜地发现没有尸体，他和母亲立即捧了几捧水喝了，他们刚一喝完直起身，同往金边赶的一队人冲他们大喊："那水不能喝！那水不能喝！河上游一点就有尸体——"

他们走了七天七夜，回到了金边。这时的小刘已经 25 岁，但他不认识一个字，没有读过一本书，于是，他开始通过手抄教材，和几个同龄人一起像幼儿那样识字、读书。

90 年代中期，柬埔寨对外开放，小刘经过几年的发狠读书后，找到了工作，在大酒店当起了服务生，那间酒店住的基本都是欧美人，他因此学会了简单的英语。

“我们中国人就是比别人聪明。”他说这话时，恢复了灿烂的笑容，我们眼前又升起了可爱的太阳，“我们酒店的客人都喜欢我，所以我总能得到他们给我的宝贝：餐巾纸、用过的香水瓶和喝得还剩一点的洋酒。餐巾纸做什么？那时候柬埔寨连纸都很少见，所以那么柔软、那么香的餐巾纸可是稀罕之物，我弄到一两张之后，就像《上海滩》里的许文强一样（柬埔寨的华人基本都看过这部电视剧），插到衬衣口袋，当丝巾用，帅呆了，衣服整天地香着。（说到这，他想象着那时候的情景，狂笑）空香水瓶里加点水，再喷出来的水还很香，不信你试试？我当时总能弄到餐巾纸和香水瓶，可神气了，所以我后面总跟着一帮朋友，他们讨好我，为我干活，就是为了得到我分给他们的一片餐巾纸。如果得到一个 XO 的酒瓶，那就相当于中了头彩，我们加进几种不同的烧酒，就成了洋酒，要是刚巧里面还剩了点正宗洋酒，那我就是天王了，哈哈……”小刘说这些的时候，不断地被他自己的狂笑打断，我们不得不听得断断续续。

回到金边几年以后，小刘结了婚，成了两个孩子的父亲，过上了“最最幸福”的生活。后来他又学了中文，考了中文导游证，开始为中国人做起了导游。他说：“我现在太幸福了，真的，我还活着，还健康地活着，没想到还结了婚，生了孩子，有了这么好的工作，能和你们这么高素质的人打交道，我有了这么好的皮肤，我们中国人的皮肤，在红色高棉时期，我的皮肤和现在的非洲黑人差不多，黑瘦得皮包骨，但现在白了。”他不时向我们展示着他的胳膊。

他从钱包里拿出妻子的照片，得意地说“她很漂亮的”，又给我看他们一家四口的全家福照片，笑得一塌糊涂。

他在车上给我们讲笑话时，我不断地用相机拍着他那狂笑的样子，我知道他这张天使一般的笑脸值得我一生铭记。

其实也不用拍，自从认识他以后，我从来没有忘记他那大笑不止的样子，从来没有忘记他边笑边擦眼泪的神情，也从来没有忘记他所经历的苦难，我会一直记下去。

无比感谢这次旅行，无比感谢小刘，他在我的幸福生涯里浓墨重彩地添上了一章，他教给了我人生非常重要的一课。自从认识小刘以后，我更加坚定自己是全世界最幸福的女人，自从认识小刘后，我更加清醒地意识到，幸福，不需要太多的理由，什么时候，我的理由都足够。

回到深圳后，我们去柬埔寨的一行人再相聚看照片，他们不断地取笑小刘和我那几天的热乎劲，肆意制造着八卦和绯闻，我这才严肃地发表了此行的全部感受。他们静静地听完后，沉默了很久。Cherry 后来很感慨地说：“一次旅行就能让你有这么深刻的感受，能让你收集到可以用一辈子的幸福理由，你是注定要幸福的。”

第十二章　三个人的天堂

天堂其实是一种感觉，一种很爱的感觉，一种很幸福的感觉。

1. “我们好爱啊”

去年一个冬天的晚上，我亲了贝贝，和贝贝说完晚安之后，关上了她的房门，内心非常祥和地走了出来。通常，这时候是我和老哥商量我们俩第二节课的时间，是看投影，还是看书？或者去散大步，去纯水岸湖边喝点东西？我边走边想。

来到客厅，我看到先跟贝贝说完晚安的老哥，正舒服地坐在客厅最长的沙发上，手搭在沙发背上，脱了鞋子，脚很惬意地平放在沙发里。看到他那样子，我突然内心一动，说：“哥哥，你别动啊。”

我顺手把客厅的大灯关了，把角落里的落地灯打开，橙红的灯光顿时让客厅柔和浪漫起来。然后，我找出那张我们俩都百听不厌的金碟《DONWILLIAMS》，把音量调到最柔和、最温暖的 38，让那极其男人、充满爱的声音笼住我们。

那天有点冷，我又走进卧室，拿出毛毯，再走向老哥。我像个孩子一样爬进沙发，把毛毯盖在我身上，我窝在老哥身上，老哥窝在沙发里。他的双臂圈住我，两只手在我的胸前捧着我的手。我们默默地听完整张碟，没有说一句话。

我一边听着这张碟，一边想着老哥在熟睡时，半意识状态下呢呢喃喃对我说的那些情话，或者情到深处，他对着我的耳朵小声说的那些话。

听完后，两个人都没有动，过了一小会儿，我仰头看着他：“老哥，你有什么感觉？”他轻轻地亲了一下我的脸，说：“我好爱你的。”声音里揉合了幸福、浓情，还带点撒娇和羞涩。这句让我听了十多年的话，在那一晚，被他用那种语调说出来，让我体味到从未有过的感动,这种感动还因为我在听这张碟时,也不只一次地在心里感叹:“我们好爱啊。”

我常常觉得自己对老哥的爱,也是那样地不可思议。我确定地知道,现在的我比以往任何时候都更爱他,比刚认识的时候、初恋的时候、热恋的时候、新婚的时候等等,都更爱他。我常常为自己对他的爱唏嘘感叹、感动不已。

有时,我一觉醒来,看着熟睡的老哥,轻抚着酣睡的他,心里不断地感慨:“天啦,我为什么这么爱他?”我越来越清醒地感觉到,人可以很平常,而爱可以很神奇!

后来我感觉太舒服不愿去睡觉,老哥只好将我从沙发里“揪”出来,背向卧室,他边走边夸张地喊着“哎哟”,抱怨说:“什么全世界最幸福的女人嘛,根本是全世界最重的女人。”

对于这句让臭美的我难以容忍的诽谤,我忘了惩罚。因为我的心里,感动如在天堂。

有一次我问老哥:“你觉得我们家怎么样?”他说:“舒服。”我说:“我怎么感觉像在天堂呢?”他说:“就是啊,我们的心灵舒展、服帖,这就是天堂的感觉啊。”

2. “看这三个人!”

去年的五一,我们过得很特别。每个长假都会安排旅行的我们,居然选择了就呆在深圳。

5 月 1 日那一天,我们一家三口开着小白出发了。我们没有目的地,也没有预订任何住宿、吃饭的地方,就这样开向深圳的东部,准备在那里呆上好几天。

我们带上许多可能用得上的旅行用品，睡袋、夜灯，还买了一大堆水果，包括一个个在行李箱里滚来滚去的西瓜，我们将此行命名为“发现深圳”。

我们在东冲、西冲还有坝光一带“游荡”，只要没去过的路，我们就往前开，而只要往前开，就能发现惊喜。

仅有一个车道的路一直往前延伸，目光所及都是朴素、自然、极其原生态的风景。路旁的树枝直往车窗里钻，地上的花草被轮胎的亲吻激动得乱颤，惊起的小鸟把我们引向一个个站在村口的老人和一只只大黄狗。我们每天晚上住的地方都不一样，不是住家庭旅馆就是住村里的休闲农庄。

一旦感觉很美，我们就把车停下来。3个人各自摆开架势：老哥支上三脚架，摆弄他的相机，贝贝拿出画夹写生，我写我的日记，我们各忙各的。

当然有时也互相客串，我和贝贝给老哥当当模特，老哥和我欣赏欣赏贝贝的画，贝贝和老哥听听我怎样写他们，不时爆发一阵笑声，惊动一批小鸟。

有一次一拨登排牙山的旅友经过我们，非常羡慕地喊：“看这三个人！”然后他们围过来看贝贝的画，啧啧称赞。

到了晚上，我们3个人会去村里的一两户人家看看，然后享受交响音乐。

交响乐的合奏者是蟋蟀、知了、牛蛙、麻雀等。贝贝听了一会，说：“他们没有乐谱，所以演奏得不齐，再说呢，他们也没有指挥嘛。”她对这些演奏者们的各自为政，表现得非常宽容。我们常带她去听交响乐，她知道乐谱和指挥的重要性。

贝贝要求说：“嘘，谁也别说话。”于是，我们就一直静静地听，她有时还要求我们闭上眼睛听，她说听音乐的时候闭上眼睛，听得更清楚。

直到贝贝说“可以说话了”，我就开始教他们在田野里练瑜伽。透亮的月光把我们的影子照得如同在太阳底下，我们对着影子看自己的动作。我们按瑜伽呼吸法大口地呼吸的时候，我猜村里的人都能听到，实在太安静了。

贝贝练得很认真，她经常在家偷学我练。老哥的动作则非常搞笑，一副老胳膊老腿的模样，只是态度还不错，常常问我“做对了没有”。

我看着又圆又大的月亮，心想，嫦娥一低头看到我们，没准也会说：“看这三个人！”

早晨，我们醒来后的第一件事就是看“冰镇”在小河沟里的西瓜还在不在，我们为此先打一个赌，赌注通常是在草地上打10个滚。不同的河沟，夜里涨的水位不一样，有时老哥输，有时我输，而贝贝，谁输了她都打滚，还边滚边笑，一副她总赢的样子。

后来，我们一有空就去深圳东部，一去东部，就以这样的方式旅行，我们这样旅行的时候，总感觉行走在天堂。

我们在家的时候，爱就在那些日常的小事里，我们爱着，也表达着爱。我们的爱让彼此的内心愉悦，让心灵自由，而心底里清亮的欢乐，如同山涧的小溪，潺潺流淌。

我们旅行的时候，就把家带上，放飞心灵，让心灵欢乐在自然里，享受自然，享受彼此，享受家。

家是属于自己的领地，家是用来享受的，很享受家的时候，家就是天堂，营造了想要的氛围的时候，那种氛围就是天堂的氛围。

3. 三个人的情人节

有了贝贝以后，我和老哥的情人节变成了三个人的。

今年，为了省钱，也为了在情人节的时候有玫瑰盛开在家里，老哥在2月10日的时候，就从花卉市场扛回了99朵玫瑰，把好几个花瓶都插满了。那天，我一打开门，看到老哥玫瑰抱满怀，大吃一惊后笑说："哈，想囤积玫瑰，在情人节大发一笔呀，你这个花贩子。"

受老哥的感染，贝贝在2月11日就宣布："今年的情人节由我来策划啊。"她边笑边说这话的时候，小胖脸兴奋得有点红，显然已经想到了主意。我问她要怎么策划，她说是"秘密"，5分钟后，又主动告诉我了，还叮嘱说："只要不告诉爸爸就可以了，因为我们都是女人嘛。"

首次策划情人节的贝贝，在情人节前一再重申，那一天全部得听她的。于是我和老哥像小时候急等着过年那样，等着今年的情人节到来。

2月14日终于到了，一切听从贝贝的指令。

午餐是在波托菲诺湖边的阳台上，就着波光粼粼的湖水和盛开的花吃的，吃完午饭后去华润万象城，买公仔、吃冰淇淋、喝咖啡。

喝完咖啡后，我们的总策划神秘地笑了一下："主要是晚上，现在我们去买牛扒吧。"老哥听了非常诧异，我冲他肯定地点点头，他知道了有我参与创意把关，也就放心地跟着下一楼超市买腌制好的生牛扒了。

我们把晚餐所需用品买全，回到家时已7点多，老哥准备一头扎进厨房煎牛扒时，贝贝大叫一声："爸，你先准备一下，要你煎的时候再煎啊。”然后对我一使眼色，我们心照不宣地跑向书房，把前一天已经试点过的两盒香薰蜡烛拿出来，在阳台上摆了两圈，一支支点上。然后在阳台上的小方桌上铺上线毯，把一直舍不得用的烛台摆到方桌上，点上酽酽的 5 支红蜡烛。红酒、西瓜汁（贝贝说那是她的红酒）倒好，漂亮的什锦果盘、提拉米酥蛋糕切好，再放上法国香颂的音乐。

“还有什么？”贝贝用手一样样点着这些东西，突然一拍脑袋：“对！妈妈，把几盆玫瑰花都抱来，还要在地板和桌上都洒满花瓣。”我听了眼睛一亮，得令去抱玫瑰花的时候，贝贝冲老哥果断地下令：“爸爸，可以煎了。”那派头，比张艺谋、冯小刚这些导演足多了。

老哥把牛扒煎好端过来时，吓了一大跳：“哇噻，太美了！”

真的很美，阳台上本来就有簕杜鹃盛开，再加上大红、粉红和黄色的三盆玫瑰，成了花的世界，桌上和地上遍洒的玫瑰花瓣，娇艳地诉说着奢侈，高脚玻璃杯里的红酒静静地站在刚煎好的牛扒边，让人想吃又不忍拿叉，想喝又不忍举杯。音乐正是我和老哥都热爱的《巴黎情人》，缠绵而浓烈。一切都在 24 支蜡烛笼成的烛光里，浪漫、柔媚。

我们三个人坐下来后，兴奋得你看看我，我看看你，过了一小会儿，同时傻笑起来。老哥准备举杯时，贝贝还在策划：“我们喝一口酒就亲一下嘴嘴，喝一口酒，就亲一下嘴嘴啊。”

于是，情人节仪式变得空前复杂，轻轻碰一下杯之后，我就会同时喝到老哥嘴上未干的红酒，和贝贝嘴上甜甜的西瓜汁，那是三张笑着的嘴叠加时，酿造的幸福鸡尾酒，那是——天堂的味道。

就这样喝了几杯红酒之后，贝贝忽然向远处看了一下别人的阳台，说：“现在，我有一个梦想，我希望我们三个人都能飞，我们一起飞到每一家的阳台上，告诉他们可以这么浪漫、这么美。”我听了为贝贝的善良大为感动,向老哥又是眨眼又是吐舌。

烛光里,我看到老哥和贝贝开心得像天使。

当我们交叉喂着牛扒和提拉米酥蛋糕的时候,我知道,那是天堂的特产;当酽酽的红蜡烛涌出蜡泪的时候,我知道,那是因为天使太感动。

有天使的感觉是很好的,能享受天使带来的爱和快乐更好。每一个孩子都是天使,也没有哪一个孩子不会给父母带来烦恼。

我和老哥极力忽略贝贝带给我们的烦恼,作为她带给我们烦恼的补偿,我们尽力享受她带来的爱和快乐,也要求她主动给我们带来快乐。虽然贝贝只有 6 岁多,但我们享受她已经好几年了。

不让贝贝中断我和老哥热情相爱的一个办法就是,盛情地邀请贝贝加入我们,让她主动成为一个参与者。我们一起过情人节、圣诞节、结婚纪念日、生日,我们一起过有滋有味的每一天,我们把两个相爱的人增加到三个,两张相亲的嘴变成三张。

后记：边写边记

1. 我边写边笑

2007年1月17日

我是从2007年1月10日开始写这本书的，两天之后，辗转反侧睡不着，很想立即爬起来写这本书。我对已经睡熟的老哥说："哥哥，我想起来写稿。"老哥含混着说："妹，不要让黑眼圈和你的书同时出名啊。"终于，他用这个杀手锏制住了我。

我写得比想象的快很多，写作第一次让我找到了这么大的快乐，我边写边幸福，越写越有感觉，多年前的各种细节，从四面八方蜂拥而至，争先恐后地要在我的电脑键盘上跳舞，纷纷要求最早进入天堂，仿佛只有那样才能喝到美味的头啖汤。

1月15日，我发信息给玛亚和灿灿："我感觉从来没有过的好，已经有一万多字了。"对于我这天秤座的懒非常清楚的她们非常吃惊，当我告诉她们我想写这本书时，她们比我还兴奋。当我颇有自知之明地要求他们俩督促我一定要写完本书时，玛亚说："好，我知道你还是有点懒筋的。"灿灿说："我唯一担心就是这一点，不过你放心，我会抽你的。"

但到如今，我感觉完全用不着了，现在我感觉最幸福的事情就是可以什么也不做，只坐在电脑前，自由地写、尽情地写。我突然发现，一个人可以完全自由地表达自己是一件无比快乐的事情。

昨天，我写到凌晨四点，一口气写了6000字，还想写。我写完一篇后对自己说，再写一篇就算了，可是写完那篇后，我还是对自己这样说，连说了3次。

我边写边笑，那几个小时，我发现，关于美丽的警告不再起作用，我一直引以为自豪的理性，也完全失去了以往的约束能力，直到老哥从卧室出来，把我从书房强行拉走。

但是，之后的几个小时，我依然没有睡着，我边睡边写，迷迷糊糊地想着，写字的感觉原来是这样。

2. 天堂工作室成立

2007年1月28日

到1月21日，我的书稿已接近3万字，当我确定会把这本书写完时，我开始把我的这些文字发给好朋友。我要求他们回答这几个问题："这些文字你能读下去吗？这些内容吸引你吗？你觉得有什么要改进的？"当然，我也声明，如果要表扬我，来者不拒。

有的一看完就给我打来电话，有的当即写下了读后感，小健哥发回的邮件是在深夜一点多，杨杨在上班时间悄悄把办公室电话拔了，把手机关了，用半个小时写了一大篇，那激情、那文字，俨然要喧宾夺主，把我的风头盖了。

1月22日晚上，杨杨说，要庆祝天堂"开张大吉"，邀请天堂的3位主要人物去吃杨爸爸和杨妈妈做的饭，两位并不老的老人家据说手忙脚乱地忙了两个小时，整出一大桌绝对美味的湖北菜，把我们撑得只能直挺挺地站着，当老人家要我们坐时，老哥说："肚子完全不能折叠，否则就溢出来了。"

谈到这本书的内容时，杨杨比我还兴奋，发誓要把这本书卖多少多少册，卖着卖着突然和老哥成立了天堂工作室，要我只负责写稿，朋友当中一切有志于传播幸福的人都纳入天堂工作室，全力负责出版和发行事宜。

老哥和杨杨畅想着这本书的销路，畅想着天堂工作室各位同仁的幸福事业，突然想到他们工作室的所有活动和工作，还可以衍生出另一本关于天堂的书，我也兴奋起来："那不就是花絮？"他们为我找了这个专业的词连连点头，说在《三个人的天堂》出版的同时，出这本花絮，没准花絮卖得比《三个人的天堂》还好，或者干脆买一送一，把价格定高点。

我却突然有了自己的点子，以后我把书稿发给朋友时，一律要求他们把感觉写下来而不是说出来，到时作为专辑加入书中，一来为我做了广告，二来稿费全是我的，跟他们俩一说，杨杨说："哇噻，幸福的女人还这么狡猾！"

后来，天堂工作室有了很多应征者，我那些有志于传播幸福的朋友，纷纷前来表现，力争谋个一官半职，他们不断地分发着各种头衔，争着抢着，官一个比一个大，名号一个比一个响，笑得一个比一个灿烂。

看着这欣欣向荣的买官封爵场面，我感觉这书至少成功了一半——它成功地为大家带来了一个快乐理由。

3. 带状疱疹降临

2007年3月21日

本以为这书可以一口气写完，我甚至妄想，嘿嘿，两个月就拿出一本12万字的书稿。春节一过，给朋友们来个大惊喜，到时搞个小聚会，华丽出场。

没想到，写到 7 万字的时候，我突然写不出来了，甚至感觉之前写的都很烂。现在想来，那时候我已经兴奋地、连续地写了一个多月，谁都累了。但我当时不知道，写不出来就着急，越着急越写不出来，结果内心又焦虑又愤懑，难过极了。

大年三十晚上，带状疱疹突然降临。带状疱疹是一种神经病，是病毒侵蚀神经所致，通常是疲劳过度，或者压力太大，过于焦虑引起的。症状是在身上长一些疱疹，分布在腰上、背上、头上等，最多的是在腰上，厉害的在腰上呈带状连成一圈，俗称缠腰龙，会导致生命危险。

那些长出来的疱疹只是这病的突破口，看上去只是长了一些痘痘一样的东西，可身上很多地方会灼痛无比。医生说我的算轻的，长在后背上。但完全不能碰，衣服都不能穿，晚上只能趴着睡，不能盖被子，偶尔冻醒时盖一下，一会儿又会痛得赶紧掀掉被子。

我后来跟一个女友说我得了带状疱疹，她大叫："别，别，别，千万别跟我讲这个，我 20 岁的时候得过，现在谁一提到，我还会条件反射式地感觉浑身痛。"

特别是神经紧张的时候，简直痛不可忍。刚发这病的时候，我并不知道是带状疱疹，开车出去拜年，一辆车在我们右侧突然变道，老哥一个紧急刹车，我的神经一紧张，全身都像针扎一样地刺痛。

接下来的一个月，老哥抓药、煎药、提醒我吃药，用药水洗，用膏药敷，忙得不可开交。而我，整天身着"性感"晚装，用绵软的披肩轻轻搭在身上，不时痛得龇牙咧嘴，齿间发出"嘶嘶"的声响。

结果一个月下来，老哥瘦了 4 斤，而我因为完全没出门，又被老哥逼得吃了不少，长胖了 4 斤。称完体重，我苦笑着对老哥说："谢谢你把那 4 斤肉给了我啊。"老哥颇有自知之明地说："不客气，我知道你不喜欢我那 4 斤肉。"

4. 庆功宴

4 月 18 日

昨天中午，本书的第一稿终于写完，我一吃完午饭就把老哥召了回来，让他第一时间看。刚写这本书时，我边写他边看，提过很多意见，到 7 万字以后，我不准他看了。这回大功告成，我让他从头至尾看一遍。

老哥边看边笑，有时还偷偷摘下眼镜擦眼睛，他在书房看着，我时不时从客厅跑去偷看一下，又紧张地走开，几个小时下来，我的心一直七上八下，害怕得不得了。

把写这书的想法告诉老哥时，他很兴奋："好啊，你终于要写了。"我说："可能要写出我们很多秘密呢。"我知道他一直很珍爱我们之间的那些小秘密。让我大呼意外的是，他居然大手一挥："没问题，只要不写我的鸡鸡有多长就好了。"把我笑了个半死。

几个月下来，老哥也完全参与进来了，对文字、结构、内容，可谓层层把关，他对我的那点小骄傲，也让我的灵感如小溪，潺潺流完整本书。

终于，他看完了，站起身，伸了个懒腰，脸上泛着甜蜜的笑。

我紧张地问："怎么样？"

"终于看到一本好书，就这样，一个字不用改，付印！"他一锤定音地说。

"真的吗？"我跳了起来，扑向他。他这句话对于我来说，至少相当于发行 100 万册的价值。读者会怎么看，市场会有什么反应，我都可以不管，但这个我生命中最重要的人，他的感觉，最重要。"哈哈，我成功了！”我大笑。

正好这时候贝贝放学回来了，老哥大喊：“贝，快来，咱们的天堂终于写完啦，我来读给你听！”

贝贝坐在老哥怀里，老哥对着电脑念起来，贝贝边听边笑，老哥边念边评，而我，悄悄走进了厨房。

今晚，要给他们做顿好吃的，好好庆祝一下。

我把菜端上桌后，把还粘在电脑前的他们强行拉到餐厅来吃。

吃了几口之后，我问他们：“怎么样？好吃吗？”

没人应，我急了：“哎，怎么样嘛。”我这人有一个毛病，如果做了菜，食客必须下死力表扬，如果没有，我讨也要讨到。

“妈妈，别问了，我们没空说话。”我这才发现，两个家伙都在自顾自地狼吞虎咽。

再过了一会，贝贝径自离开了餐桌，走向茶几那边，老哥很奇怪：“贝，你去那干嘛？”

“我必须走到这边来换一下气了，如果坐在那里，我肯定还是吃得没办法换气。”

老哥大笑：“贝，你太聪明了，我也赶紧过来换一下啊。”

两个人纷纷离席，站在离餐桌几米外的茶几旁，大口地、夸张地换着气，边侧眼瞧着我。

老哥边喘边说：“妹，还要不要我告诉你饭好不好吃？”

我看着他们，狂笑。只是香菇蒸肉饼、烩双茄、老牛肉炒土豆丝和一碗蛋花粟米羹而已，可以把他们幸福成这样。

我们的天堂，就是这么简单。

花絮

一稿写完后，我有选择地发给了第一批读者，他们有的是我的死党，有的是我的闺密，有的是我的老友，还有的只是一面之缘的朋友，并通过他们发给了一些不认识我的人。

我给了他们一个艰巨的任务：绝对真实地告诉我阅读的感受，并坚决、彻底不留情面地拍砖。受我党教育多年，我应当明白什么叫群策群力，什么叫集体的智慧，哈。

我备了一个专门的本子，记录他们所有的真言。我常常边记边感动，边记边感慨。最后把他们的修改意见，加上碰撞后的思考，整理出了32条，嘿嘿，二稿有救了。同时我发现，那些阅读本书的故事，简直比本书更精彩、更好玩，于是偷来作为花絮。

1、“我想我爱上你了”

阿健开着两家进出口贸易公司，平时压根儿没时间看书，给了我一个巨大的面子，看完书后，约我在一家咖啡厅见面。刚一坐下，他第一句话就是：“我想我爱上你了。”呵呵，把我吓了一大跳。看他坏笑，我赶紧说：“你还挺幽默的嘛。”他接着说：“我看完你的书后，决心百般宠爱我妻子，你老哥说得对，女人是用来宠爱的。可是我宠爱了她几天后，她开始神经紧张地查我的手机，翻我的包，甚至检查我的衬衣领子和身上的味道。我没办法了，只好把你的书给她看，她这才恍然大悟。”我听了大笑不止。

他说：“真的，很受益，在深圳浑浑噩噩忙工作忙了这么多年，一个星期在家吃不了一餐饭，你一句话点醒了我，‘家才是自己的领地，家是需要经营的’，我活到四十多岁终于明白了。以前我一个星期回家吃一餐饭，现在规定自己一个星期出去吃一餐晚饭，你说还奇了怪了，一样搞掂了。可见以前说晚上应酬忙忙忙，都是自找的。”

2、“嘿嘿，我借用了你一招”

有一天在海关工作的小龙打电话给我，她压抑着笑神秘地对我说：“我昨天借用了你一招。”我一听，马上来了兴致：“什么？哪一招？”

“昨天我老公从墨西哥回来了，你知道我必须坐班的，不能去接他，结果我在家里贴了满屋子的‘哥哥，你回来啦！’”我一听，哈哈大笑：“结果呢？”

“结果比想象的还要好！我们家那位是个不懂浪漫的呆呆嘛，突然来了这么一招，他简直晕了，幸福死了。”

3、“你怎么看的书的？”

老友 Peter 看完我的书后，急忙转给他太太看了，听说看了后两个人一起讨论了很久。Peter 性子有点火爆，有一次因为点什么小事大喊起来，结果他太太悠悠然引用贝贝的话问他：“是谁教你这么凶的呀？”（3 岁的贝贝舀火锅汤底时，把汤洒了一桌子，老哥冲她吼了起来，她慢悠悠地放下勺子，很平静地对老哥抛出这句话。）Peter 立即大笑起来。

还有一次，Peter 又因为什么火了，正要发作时，他太太厉声问他：“你怎么看的书的？”Peter 后来找我诉苦：“我完了，居然给她找了本教科书来整我。”

4、“没写出你们那感觉来”

Vivian是个可爱的小才女，对文字的要求很高，她为了我写好这书，提了许多建议，但看完第一稿，她明显失望：“虽然我一个没见过你的朋友说：‘感觉你的幸福和快乐都从电脑里丁零咣啷掉到了地上，还砸出好多洞来。’但我觉得没写出那感觉来，真的，可能是听你说得太多了吧，再加上你说的时候总是神采飞扬，有表情、有手势，所以很生动，而单靠文字，当然很苍白，没办法表现出来。建议你上电视，做脱口秀节目，哈，那才过瘾。”

5、“原来不是你们中了彩”

薇薇是我大学时的同学，读完研究生后，一同毕业分配来了深圳，关于书的内容应该有80%她早就知道：“我一直以为是上帝特别优待你们，让你老哥碰到你，让你碰到你老哥，你们中了彩，是天生的一对。但现在我才明白，你只是从来不跟我们讲那些烦恼的事。你们也吵过、闹过、伤心过、痛苦过，我们家那些问题，你们也都碰到过，只是你们解决得很好，或者说妥协得很好，而且我发现你们有了问题的时候，总有一个人站出来妥协，然后一起解决，结果越来越和谐。这是我的新发现——”

6、“我是绝不会把你这书给我老婆看的”

王哥是我的同事，比我大，对我而言，他是个温厚的兄长。我猜他是看我的书最认真的人，从修改意见上就可以看出来，从结构到个别字句再到内容，他提了两个小时的建议，我挥笔记录了8页，让我感动得一塌糊涂。

最后谈到读者上，他说："这本书的读者应该60%以上是女性。不过我是绝对不会拿给我老婆看的，她看了绝不会学习你的那些做法，而只会拿着你老哥这标本来一条条要求我，那我就惨了。就像我一样，老是想着你有多好，你是多好的一个老婆，而我们家的那位怎样怎样。我们永远都在要求对方，不愿意改善自己，所以我和我老婆是半斤配八两，嘿嘿。"

7、"像看韩剧一样看完的"

桐非是我读研时的同学，是个超级爱家的好老公，常常被老婆押去睡前陪看韩剧，后来据说一起上瘾："我是像看韩剧一样看完的，看了一个星期才看完，我规定自己每天只在睡前看两集，绝不多看，看完后浑身舒坦地睡去。我觉得你演绎了一个现代版的爱情故事，一个都市里的童话。居然有人在这样过日子，简直难以想象。我要是不认识你，绝不会相信。我把你这书发给了一个哥们儿，他看完后说打死他都不相信——"

8、"如果早点看到你的书，我不会离婚"

Tifinny看完书后约我见面，曾经光彩照人的她这次很憔悴，黯然地跟我说："如果早点看到你的书，我不会离婚的。"我吃了一惊："你什么时候离了婚？"

"是，我谁都没告诉，手续很快就办完了。"

"为什么？"我记得他们曾经很好的。

"他有了婚外情，我气坏了，跟他吵了几天，结果他同意净身出门，把财产和孩子全部留给了我，后来他和那个人很快结婚了。他们相处两年了，我都不知道。你书里很多内容都刺痛了我，好像是针对我说的。真的，造成这个局面我自己要承担大部分的责任，现在是后悔都来不及了。”她无声地流着泪。

她约我的时候，我的第一反应是她要跟我热烈地讨论书的内容，她喜欢看书，对文字的感觉很好，没想到却是这样的情况。

我静静地抓着她的手，一时无语。过了一会儿，我说：“你需要好好休整一下，然后重新找回力量。你快乐的理由还是很多，你健康、年轻、工作很出色、朋友很多，儿子又特别棒。”然后我讲了个她儿子以前在我们家的笑话，她浅浅地笑了。

“是的，我需要自我救赎，想想你写的那个柬埔寨导游小刘，我觉得我也应该像他那样笑。”

9、“今晚我要去你们家验收天堂”

Jessica是我刚到深圳时的好友兼同事，我们那时每天中午一起凑份子吃小辣椒湘菜馆，把书稿发给她的第二天，就接到他的短信：“一口气看完大作，很感人，很受启发，我决定今晚去你们家验收天堂，有空否？”

来到我们家，对书稿进行一番拍砖之后，她职业病发，以专职记者的语气不断地采访我们，最后反复停留在一个问题上：“你们的这种幸福是完全个性的，还是可复制的？”老哥刁难她：“个性的怎样？可复制的怎样？”

“如果是个性的，那么它就相当于一幅画，每个观众欣赏之后获得不同的心得。如果是可复制的，那就应该把可复制的理由和复制的方法写透，然后推而广之，发扬光大。”我惊叫：“拜托，我可没那野心，至于可不可复制，复制什么，读者自有判断，再说呢，每个人都有自己的方式，每一对夫妻，都有自己表达爱的方式，按照自己的方式去幸福才是最重要的。”

我们一边喝着普洱茶，一边听着音乐，乖乖接受着她老人家的验收，直到凌晨两点。

10、“你们是注定要幸福的”

我老哥是小雅多年的粉丝，10年前她写的副刊稿老哥一字不漏地追着看。那天我约小雅共进午餐谈读后感，小雅问：“你老哥呢？”我赶紧说：“先声明啊，下次见了他不许说我们俩吃了饭，要不他一定杀了我。”小雅哈哈大笑，接着迫不及待地说：“看了很感动，真的，我的感想有三个：一、运气真的很重要，你们碰到了；二、努力更重要，你们也做到了；三、聪明在这里起到了绝好的作用。所以你们注定是要幸福的。”

我说：“怪不得我总也对你恨不起来，没办法。”

11、“我边看边谴责自己”

Linda一直在婚姻里左冲右突，不断冒出离婚的念头，又因为孩子，不断地将这个念头打压下去。读完书后，她很伤感：“我边看边流泪，很多细节深深地刺痛着我，我没做那么好，所以也没那么幸福，我边看边谴责自己。”

12、“要改变的是自己”

龙飞是我在工作中形成的好友，她的学习能力让我望尘莫及，她能将中医理论和MBA教程融会贯通，并以小孩都听得懂的语气说出来，我对她常说的一句话是“I服了YOU”，我把书稿发给她的那个下午，就收到她的这封E-mail——“你们生活中的点滴系统地展现在我面前，我认识了你家老哥和贝贝，知道了天堂的建立过程。看得出来，这些文字全是你的真实感受，实在是忍不住了，‘唰唰唰’地写出来，迫使我重新反省自己的家庭生活，工作态度。

幸福是自己创造的，如何从生活中，工作中创造出幸福？生活的伴侣是不可以改变的，要改变的是我们自己，我们对同伴的态度，我们对生活的态度，我们对幸福的态度，一切都源于自己，幸福就在我们身边。”

13、不好意思，来点广告

自恋的人听到表扬，简直比38度的高温下喝一杯冰镇西瓜汁还舒服。好在以下几位的吹捧不是一味地肉麻，还有点趣味，有点好玩。看完一稿后，他们发来这些文字。既然免费，那就来点广告吧？谢谢哦。

不必修改

这本书里大多数内容我已经知晓，但是还是很能让我看完，这就是我要告诉你不必修改的原因。它非常流畅，看得出幸福一点都不是挤出来的，像泉水，汩汩而出，而且是温泉。

它的优点是：

1.你用大量的故事娓娓道来人们原本知道的一些道理，使得那些道理不再是道理。变得可以触摸和闻得到气息。

2.它产生了属于你自己的哲理，比如——“我终于明白，像角斗士那样高大威猛的体格，如果没有竞技场，也只是浪费”。有哲理，书就有力量。也产生了属于你自己的“办法”，比如“不管是骗来的婚姻，还是求来的婚姻，最好的状态就是像没有结婚。”还有“老哥在‘最好的朋友’里加进要赖、任性、撒娇，我们就变成母子。他会在我要求他起床时提出无理要求，比如亲10个。”还有“看来，缺点如果不能被改掉，最好像优点一样地来呵护。缺点和优点一样，不也是属于爱人的特质吗？如果缺点被呵护，因缺点而引发的战争，也就偃旗息鼓了。”……这很重要，为“办法”提供了可行性。

3. 它能让人落泪，在看幸福的柬埔寨导游小刘时，我流泪了，感觉锯子锯在我自己身上一样痛楚……

4. 它感觉真实，比如“离婚，完全有可能？”这样的章节，让你所有的文字和理念变得“说得通”。

幸福是你一生的创作，令人期待！

——玛亚

“幸福”的“科普读物”

读书虽然也是我个人的爱好，但认真读书已经是很久以前的事了。二十多年的深圳生活，我早已经被这飞速变化的环境泡得不再执著。

也许是一个人的信任吧，在忙完应酬后，路过公司的时候突然想起你的嘱托，虽然已是夜晚10点多了，但还是想看看那位在我看来非常例外的特别“幸福”的女人对自己的“幸福”是如何感受的，就这样，我来到办公室，打开电脑，破天荒地开始认真读书。

亲切。你书中搬了4次家的位置都和我有关，你住教育学院我住红岗花园，你住燕南路，我在吃“乌江活鱼”隔壁的407栋上班，你住华侨城我也住华侨城。

细致。本应平淡的生活被你用智慧串成让人羡慕的幸福，尤其是在感情的描写上看上去风趣幽默，但不失精致。特别是老哥不经意地问你离婚的那一段,很是感人。

真挚。看得出来你是用心来写的,而且也能感受到为了这样的幸福你会用毕生的精力去维护。

真实。能看得出书中的情节比比皆是普通人所遇到的境况。就是因为很少人会用你的角度去看待,所以错过了幸福。

这是一本“幸福”的“科普读物”,我们可以把它当成工具,遇到问题的时候就拿出来解决问题。你那套“幸福理论”,也足够我们拿它来指导自己的生活。

很晚了,非常精彩的故事,由于“天堂”的感动,我认真写下了以上的体会。

——小健哥 2007 年 4 月 20 日凌晨于灯下

在她的世界里比照自己的幸福

(亲爱的:我把办公电话拔了半个小时,关了半个小时的手机,只为了能在办公室里安静地为你的文字写点东西。这些随手写下的文字,并不是什么读后感,却是我看完你的文字后想说的一些话。仿佛是写给他人,却字字是给你。)

早知道这本书会进入她的命运。

在无数次的倾听、感知和交流之后,我曾和她说过:何不把这一切都付诸于文字呢?何不让这个小圈子里浸染过我们这一群 fans 的经典故事传播到更多相信幸福的人群中呢?

没想到,她那么快地响应了我,不,应该是响应了我们(因环绕在此人身边的闺密甚多)。

在这个从贫者到富人都一概在幸福指数面前低头的年代,只有她,理直气壮地、持之以恒地宣传着、展示着自己的幸福,并号称自己是全世界最幸福的女人。把凡俗生活中的点滴幸福聚沙成塔，把记忆里所有关于幸福的因子日积月累，终于有一天，那个幸福的小宇宙不得不爆发——《三个人的天堂》就这样破茧而出了。

你可以说她 babyface，但其实她更加 babyheart。那种如孩童般天真、纯净的烂漫，在她的身上无时无刻地蔓延着。但，也请你留意，这个女人受过中文、法律、金融三个专业的浸染，是一名拿着律师执照从事着金融记者工作的女人。她是名副其实的专业人士却只拿幸福当正经事干，她从来只对工作少少着力却足以把我们这一群在职场拿性命拼杀的女人甩得老远……

文中所讲述的内容，起码有 90% 都是我所熟知的。她与他共同创建的那个家，温馨而富足，浪漫的因子无处不在，我时常在她家客厅宽厚的大沙发上，徐徐地听她讲述生活中关于幸福的细节，在那样一些时刻，我仿佛失了神，以为自己就在天堂，一个她引领我进入的，她的天堂。

——杨杨

爱可以进行得很深

下午领导不在，我在办公室静静地看完了她的书稿。

这是她完书之后的第一稿，我知道凝聚在其中的心血和关注有多少，也知道她多么期待我能火眼金睛般地给她提出最中肯最到位的意见，而我此刻，只想说一点直觉，来自于书，跟人有关。

作为一名真诚爱着她的闺密，此刻我很难从客观的角度去评价她写作上的得失，我只是被打动，在这样一个平淡得只让我顾盼到周末睡眠的周五下午，突然能够非常真切地触摸到那种缓如行板的岁月静好的姿态来。

办公室依旧有人来人往，电话铃声依旧时不时地作响，同事们依旧在聊着周末前的最后一轮八卦，可是我知道，一切都变得不太一样。

我似乎，从来不能在一个工作日的下午，将自己的心灵放置到那么宁静安详的状态中，幸福感奔泻而出，蔓延到全身的每一条经脉。

原来她写书，是为了让幸福感浸染到每一个懂得爱的人的生活。

就如同那天晚上，那样忧伤的我，在那样风雨飘摇的夜阑时分，依偎在她的身旁，聆听着她一边给我放法国香颂音乐，一边徐徐地告诉我，如何才是心灵之养。

她的生活，本就是那么美好的一部书，一些朋友都在阅读着她，感受着她，热爱着她。只不过，她渴望更多的分享，给每一个会与之共鸣的知音，给每一个敏感而美好的灵魂。

幸福可以放得很大。

正如爱可以进行得很深。

无法写得更多了，因为还想将她的书稿，再静静地看上一遍。

——Lisa

深圳女蛙回复网友提问

8喜啪啪（天涯社区）：

姐姐，我有个问题想请教你呢，现在的男朋友是我高中时候的初恋，中间经过了6年的波折跟动荡终于走到了一起，我们现在已经相处4年了。我很愿意相信我跟姐姐是同样的人，因为姐姐做过的事情，我几乎都做过，而且一直努力地去让他感受幸福，但是效果往往很难让人满意，他从跟我在一起就很少对我表达爱。尽管我几乎每天都要腻歪地跟他要求亲亲，轻轻捏他的手心表达爱情，或者在他洗澡完拿睡衣从旁边突然跳出来裹住他，跟他说“别着凉了，你一感冒我就要流鼻涕！”这样的调皮话。但他经常是，当时笑笑，然后立刻就不以为意了，有时候我磨叽他的时候，他还时常流露出不耐烦的表情，我有点灰心，甚至在想他是不是并不爱我，至少不像我爱得那么深。当我这样想的时候，我就觉得我的爱越来越无力。他甚至没有亲口对我说过“我爱你”。爱情应该是两个装着蜂蜜的罐子。两个罐子互相爱上对方，就会把自己的甜蜜储藏拿给对方分享，因为都互相给予，所以幸福一直溢满，但是如果只是一只罐子不停向另一只罐子倾注而另一只罐子无动于衷，那么总有一天，这个本来幸福甜美的罐子会干枯，然后破裂掉。我现在的感觉，就是我是一只快要干枯掉的罐子。

但是我真的不愿意去放弃啊！姐姐教教我该怎么去做啊！

深圳女娃：

妹妹，别急，我感觉你们可能啥事也没有，是你在干着急呢。

第一，每一对爱人，都有这对爱人独特的相处方式。我和老哥的方式可能只是适合我们俩，并不足以提供太强的参照，更不具备任何可比性。而且，我们俩也是相爱多年后逐渐形成的方式。

第二，你需要仔细观察和感受你男朋友对你表达爱的方式，每个人表达爱的方式是不同的，不能因为和你的不一样，或者说不能适应你的方式，就否定他的爱。

第三，真诚地把你的感受和需要告诉他，把你的需要告诉他，不要埋怨、更不要泄气。也许他会慢慢适应你，也许你会逐渐适应他，你们会逐渐磨合出一种自己的相处方式。

第四，没有亲口对你说过"我爱你"并不表示他真的不爱你，对于有的男人来说，要他说这句话，他宁愿为你做牛做马三天，呵呵。

记得《人鬼情未了》吗，男主角生前从来没说过这句话，但他那生生死死的爱恋，是多么感人至深啊……

我们都要幸福地爱（天涯社区）

姐姐，我也有个问题想请教一下。我和我男朋友是大学开始恋爱的，到我现在毕业一年多，已经有 5 年了，我们的感情一直还顺利。但是我们昨天闹矛盾了，这个矛盾我现在还不知道该怎么解决。昨天我发现他将他存折里仅有的 3000 元钱全部寄给他妹妹了，他的理由是他妹妹开学了，要交学费。以前他给他弟弟妹妹钱，我有时候会有点不舒服，但是不会说出来。但是这一次情况特殊，我感到非常难受。他上个月正好辞职了，一时还没有找到理想的工作。几乎就在他辞职的同时，我妈给我打电话说她病了，在家治了两个月了都不见效果，所以我要她来我这里，毕竟大城市医疗会好一点，我想。我妈在这里治病一个月了，还是没有太多好转，肯定还是要继续花钱看病的，而他还不确定什么时候可以上班。我们两个工资都在两三千，以前因为他弟弟妹妹读书经常寄钱回家，我们根本就没有存款，在这种情况下他竟然没有跟我商量就将他存折里的钱全部寄给他妹妹了。我觉得他太不考虑我的感受了。我憋了半天，最后憋不住还是跟他说了，说我认为这种情况下他不应该将钱寄给他妹妹，这种情况下，我一个人的工资是不可能维持三个人的开支的。我没有凶他，想跟他好好说道理的，但是我竟然说着说着委屈地哭了。他哄着我说他妹妹开学了没办法，我们如果没钱到时再去借。后来我妈妈回来了，我就不好说什么了，这件事就这么过去了，但是我心里一直都很难受。

我也想像姐姐一样，有那么幸福的家庭生活，但是金钱这个问题，就是我们幸福之船的暗礁。我们都是农村出来的穷孩子，用姐姐的话说就是门当户对，我们两个读大学都借了一些钱，其中我因为欠学校一万块学费，现在还没拿到毕业证。我妈妈身体不好，常年要吃药。一方面，我很想存钱，还债，养妈妈。另一方面，他的弟弟妹妹还在读书。是他执意要送他弟弟妹妹读书的，他妹妹当年没考上大学，又不愿复读，他就让她读大专，他弟弟今年也没考上大学，复读了，他对他弟弟说如果还是考不上的话至少也要给他读个大专。

有时候我真的很绝望，我觉得他弟弟妹妹大学毕业出来挣钱以前我们是没办法存钱的，那我怎么办？我也欠了亲戚的钱要还啊，我也想尽快拿到毕业证啊，我想让我妈妈不用出去挣钱了，我每个月给她几百生活费养她啊。

我觉得他要扮演一个好儿子好哥哥的角色，却把我推到了一个不仁不义的境地。

我很多次想过跟他经济 AA 制，我觉得在我们两个人家庭负担都比较重的情况下AA制是最好的办法，每个人都按自己的能力去承担家庭的责任，而不是打肿脸充胖子。但是他不赞同，我也不好太坚持，怕伤了感情……

深圳女娃：

我不能帮你来拿主意，也请你不要让任何人给你拿主意。

但我愿意跟你说几句心里话：第一，一定要好好珍惜你们五年的感情，任何时候碰到任何事情，都要以呵护你们两人的感情为前提，千万不要因为钱或别的事情而伤及彼此，多年以后，你会发现以往的这些争执都是小事。第二，要坚信你们一定能度过眼前的难关，在磨难面前，需要自己咬紧牙关，大声说："我不信这个邪！我是不可能被打败的！所有的坏事，你们都冲我来好了！"第三，有朋友告诉我一个很朴素的真理，真正钱能解决的问题，都不是大问题，所以，当你感觉没有什么钱的时候，问问自己，是不是还有很多别的值得珍惜的？这样心情会好点，不会仅仅纠缠在没钱这个问题上。或者问问自己，是不是因为钱，而忽略了别的更值得珍惜的？第四，你们俩在关注点上，形成了两条平行线，而不是彼此融合的一条线，即一条心，建议你先爱他所爱，关心他所关心的，切身对他的弟妹好，然后他自然会爱你所爱，关心你所关心的，对你母亲好。

我的切身感受是，只有心才有资格换心。在这点上，我的策略是，我们老家的事情，以他为主来处理，他们老家的事情，以我为主来处理，这样可以更温暖，更技巧……

rxyinyi（天涯社区）

女娃姐姐，刚刚看了你的关于"刻意生活，才有额外的快乐"，向你请教一个问题，其实你说得太对了，我感觉我现在陷入了一种“一顿又一顿地对付着胃，一晚又一晚地对付着瞌睡，一天又一天地对付着工作”的生活，我也好想刻意生活一回，但是睡觉，工作，吃饭，占去了我们几乎一天中的22/24的时间。

我想问一下，对于一个单身的人，可以怎么样刻意地生活呢？其实有的时候真的是发现生活很美，但是这些美到底是怎么构成的，感觉很难想象！

深圳女娃：

你是一个人？太好啦！你多自由啊，可以无所顾忌地宠爱自己，你知道吗？其实你自己最可爱！什么最让你开心？什么最让你快乐？问问自己，去做好了！看一本自己喜欢的书，或者边听音乐边看？淘一张好碟，凝神听它几十分钟？淘一部好片子，自顾自地感动下自己？落泪也不用擦，就让它挂在你的脸上，反正没人看到，那可是生命的感动啊！一个人徒步暴走一段，什么也不想，让四肢带着你麻木地穿行一段，把脑海清空？

总之，可以做的太多啦，哪有时间去无聊？两个小时？可以干许多的事呀！

很多必须要做的事情虽然占去很多时间，但是，刻骨铭心的刹那，才是漫长生命的意义啊！

仔细回忆下，生命中的美好，都不需要太长时间……

天山小木（天涯社区）

谢谢楼主，在我对爱这个词要绝望的时候给我上了一堂课。我觉得自己是爱无能，怎么办呢？和前女友在一起的时候，我知道我很喜欢她，她也是喜欢我的，可是我还是悲观地认为我们没有将来，我从来没有完全投入去爱，而是去计较在爱上面谁付出的多,谁付出的少,现在分开了,我觉得是一种解脱,不用再去考虑怎么讨她的欢心了,不用计较她是不是不够爱我了,我不相信自己还能好好地爱一个人了,我只想找个人过日子,我知道自己是个传统意义上的好人,可是我也知道我给不了一个女人完整的爱。这种感觉真的很可悲。

深圳女娃:

不会的,我相信你不会! 能如此审视自己的爱的能力的人不会爱无能! 只是:

一、你需要在心态上有所调整,要有信心,不要放弃,上帝在造你时,左手造你,右手造她,你们注定会相爱,积极乐观地去等、去爱吧!

二、你生命中的那个人还没有出现,一旦她出现,你会全身心投入,不会在数量上去计较得失,事实上,相爱很难用谁多谁少来衡量。

三、不要悲观地限定自己的将来,告诉自己——我一定会幸福! 我的爱人正在找我!

每个人爱的能力都是天生的,上帝造你时就赋予了你这项能力!

天是灰的不是蓝的(天涯社区)

看着楼主的幸福,羡慕死人了。我觉得我们最近的婚姻生活好像出了点问题,郁闷死了。真不知道该怎么办了。想和他交流一下谈一下心,话到嘴边却不想开口。

深圳女娃:

仔细想想,出了什么问题呢,好好去发现问题,想想用最恰当的方法，用最合适的语言，去解决问题吧。没有什么解决不了的，只要你以积极良好的心态去面对……想想他的好，或者曾经的好，想想你们一起走过的日子，想想那些令人陶醉，充满爱怜的日子，你就不会开不了口了……郁闷只是一时的，一切都会好起来……祝你找到你们婚姻的最好状态……

爱自己的精灵（天涯社区）

姐姐，真的有个问题想向你请教，请抽出时间帮我看看，分析一下。

我和老公认识三年多，结婚一年多，他在深圳做公务员，而我在旁边另一个城市做教师，因为工作原因我们分居两地，平时一个月我回深圳两次左右。现在假期了，我们就天天在一起了，但在一起后问题就出现了。

第一，　他每天下班后去运动，这是他一直以来的生活习惯，我希望他改变一下，少些出去运动，多些时间陪我，但他认为这是他的生活方式，不肯改变，而我认为他心里没有我，不肯多花时间来陪我，这是矛盾之一。

第二，前几天由于我去外省旅游，感染了风寒，回来后一直咳，特别是晚上睡觉时，有一次我咳时，他说了一句烦，使我心里很难受，以后多次拿这句话出来说他，说对他感觉失望，不能同患难等，他也知道自己不对，但他说他困了，我吵着他睡觉了。我很想问，在我病中他这样的不耐烦，是不是说明将来假如我有了大病，他也会弃我于不理???

第三，我们在一起生活后，我不想他天天吃外面的东西，所以都会买菜做饭，但是我又觉得家务应该两个人分担，所以一般是我做饭，然后他洗碗，昨天他再次向我抗议，说他很讨厌洗碗，我说我也讨厌，他说出去吃算了，但我又不愿意，这是矛盾二，而且这个矛盾是由来已久的，只不过是昨天他更明确提出。

第四，昨天他跟我说他上班很累，我也知道他上班很累，但昨天他还是让我生气了。他为了一件小事说我“神经病”，我很生气，不理他。他不是第一次这样了，近来我发现他常常会忍不住地这样说我，前几天有一次我用他电脑，他叫我“滚”，我知道他意思是叫我滚到一边去，他常这样说，我以前都忍了，但那天我忍不住了，哭着要回家，他拉住我说会改。昨晚他又对着我说“神经病”，我不知道他为什么会动不动因为一些小事就用这些词语，他对外人是非常有礼貌的那种，同事对他评价很不错。但是他对着我却常会忍不住用这些不礼貌用语，我想他是不是太不把我当外人了，所以回家来原形毕露？所以我昨晚用了金玉其外，败絮其中来形容他。我知道这样不好，但是我还是说了。其实我相信他还是很好的一个人，我也知道他工作真的很累，他前一段时间刚升了职，工作责任也重了很多，但是我也真的无法忍受别人动不动说我神经病。

后来他抱着我说“对不起”，说谢谢我对他那么好，他只是累，只是烦，我问他下班后回来看到我在家开心吗？他说有人在家等着当然开心，但是想到两个人分居两地，前途未知，心里又觉得很烦，很乱。这些我都明白，因为我们分居两地，而且在深圳尚未买房，我们都知道深圳的房子有多贵，我们工作时间又不长，现在家里又催着我们要小孩，所以他作为丈夫，其中的压力是可想而知的。

我说我理解他，他说他知道自己是怎么样一个人。我很心疼他，他是一个很敏感并且很细腻的人，不像我，大大咧咧的。他总觉得人生无意义，不知道活着为什么，昨晚还说常梦见自己在楼与楼之间飞，昨晚还把他的银行密码再一次告诉我，这都使我很担心。我觉得他目前的工作压力真的很大,生活压力也不小,其实他也不用想那么多,因为这些问题我相信都会解决的。但是最让我担心的是,他的精神状态,他对人生没有很积极的态度,总觉得是为家里人活一样的。他说看到我就让他感觉很复杂,就会烦,就会想很多东西,叫我回妈妈家。但我又不愿意和他分开,而且我觉得总要适应,总要习惯的。只是,我实在不知道怎么开解,安慰他,姐姐,请教教我。

深圳女娃:

关于第一,他爱运动是好事呀,可以更健康、更强劲,再说,爱运动的人通常没有别的不良嗜好,你干嘛不和他一起运动?多些共同的兴趣,多些一较高下的竞技运动或游戏?就算你不会也可以让他教你嘛,正好让他虚荣一下呀。

不要试着去改变他多年的习惯,更何况这是个很好的习惯。更不要因此认为他心里没有你,这种上纲上线的无厘头基本上只会伤害自己,只会让他以为你胡闹。

关于第二,他只是在迷迷糊糊的时候,一不小心说了一句大实话而已,你多次拿这话出来说他,还屡次上纲上线,有点过分了,呵呵。其实那一刻他当然烦,换位思考的话,你也会烦,只是他不小心没忍住,说出来了而已。你最正确的办法是忽略这话,或者第二天边委屈边撒娇地点醒一下就好了,这样放大一件小事,放大一句不好听的话,不是个好主意,我认为,仅仅是我认为。

关于第三,做家务很少有人特别乐意的,特别是男人,要想让他分担家务,采取强硬的讲道理的办法,只会让他越来越讨厌做家务。想点温柔的小招吧。当他做点家务的时候,无比投入地赞美或感激;连哄带骗也偶尔用下。撒点小娇,耍点小赖。一起让家务变得有情趣点。你一定还有别的招的啦!对了,偶尔到外面去吃饭，我觉得没什么不好的，选择卫生条件好的，经济点的。

关于第四，看得出来，他太累了，太烦了，而且你给了他很大的压力，所以他有些烦乱，而且有时出语伤人……理解他吧，原谅他吧，千万不要再互相伤害，你伤害他的同时，也伤害了自己，因为你爱他，这是根本。

所以我觉得你不妨听他的回妈妈家小住一段，让他彻底放松下，你们两个都调整下。

对于他那些难听的话语，你不妨换一种方式告诉他你的感觉，比如写封信，这样的问题你如果不能接受，最好在一开始就以合适的、他能接受的方式纠正。不要反反复复做无用功，徒显唠叨，他对你的埋怨都产生抗体了，还能解决问题吗？

陷入困惑的女孩（天涯社区）

我现在陷入感情的困扰中希望你能帮我出出主意，行吗？

我深爱着的一个男孩(小陈)，我们之前在同一所学校读书，后来快毕业时最后一年谈恋爱，最后俩人又先后来广东。1998年他在深圳我在佛山工作，因为年龄太小或者对于社会上的事还不太了解，反正我们分手了，那是2001年的事。后来我们只是偶尔同学聚会或电话联络。6年中，我认识过其他男孩，他也结识过不同类型的其他女孩，可是俩人身边的女孩或男孩都离开了。

7月份回湖北老家，家里帮我介绍男朋友，男方对我感觉很好，双方父母好像也很满意，我也觉得已经28岁了，找个对自己还可以的男人嫁了算了。但是，现在双方父母真的把结婚放在日程来谈了，我突然害怕起来，不想一辈子真的找个自己不爱的男人过日子. 也不知为何深夜经常想起小陈，而且翻起之前我俩的情信，越来越控制不住，他对我那份感情，在那个状态里我没有好好珍惜,我想把握住这段晚来的感情,我想很努力很努力去争取,深圳女娃姐姐,你觉得我能成功吗,我是不是很傻,你有没有什么办法,帮我出出主意,行吗?

深圳女娃:

其实你已经有答案了:“不想一辈子真的找个自己不爱的男人过日子”,那就去找心底里的那个人吧,也许他真的是你生命中的那个人。

我有一对朋友,他们结婚两年后离婚了,离婚后各自有了自己的生活,并且各自有了孩子,10年之后,他们又各自离婚了,带着自己和别人生的孩子,回到了心底里的爱人身边,复婚了,现在他们4个人生活在一起,很安宁,美好——这是真实的故事,相信我。——也许经过了时间和事情,更能明白自己所爱……

任何时候,都不要忽略自己的内心,更不要忽略内心的那个人,去争取吧!

衷心地祝福你!

谁能拯救我的心(天涯社区)

想不明白一个人为什么会有这么好的心态,我现在的生活一塌糊涂,易躁、易怒,常常对自己最亲近的人发脾气,冷静的时候我也知道不能那样,也曾努力地去改变,但都是徒劳。一旦碰到一点点不如意,我就变得无法控制,这一切都怎么了?我是不是病了?怎么才能做到像你一样???

深圳女娃:

我觉得你对自己很不满意,这可能是你狂躁的重要原因,你应该爱自己,自己最可爱,你一定有很多可爱的地方,只是被你忽略了，永远别忘记自己，忘记自己的可爱。

爱自己，爱你应该爱的人，去享受爱……

有爱就有天堂，相信我。

china0319（天涯社区）

好羡慕你的幸福生活，我也是做了母亲，宝宝9个月了，我却把自己累得一塌糊涂，脾气也越来越暴躁了，看了你的文章很受感染，现在我正在考虑把宝宝送回老家给她奶奶带，我想我需要重新整理一下自己。我和老公也没有以前恩爱了，还老是为了孩子的事吵，老公是自己做生意，应酬比较多，什么事都要亲力亲为，所以没有时间顾我和宝宝，现在我们还没有买房子，经济上也不是很如意，他妈又不愿意过来，所以很矛盾要不要把宝宝送回家，而且我自己真的好累，以前的自信都变成个烦躁了，希望可以给点意见我该怎样做才能两全其美，谢谢！

深圳女娃：

我有一个观点或者说感觉，不知道你会不会赞同，当我们感觉不好的时候，往往需要调整的是我们自己，我们情绪混乱，我们责怪自己，责怪他人，责怪环境，事实上，"我们的心情应该由我们自己来把握"。所以，从调整自己开始改善状况吧。你需要静一静，但也许不需要把孩子送回家就可以，当孩子睡着的时候，当老公在外奔波的时候，你给自己倒杯茶，或喝杯自己喜爱的冷饮，看着熟睡甜美的孩子，静静地想想吧。我家贝贝经常让我讲她小时候的故事，我总是先让她点个时间，就像点歌一样，她点到任何时候，我都能说出她那时候的故事，从出生，直到现在。

每当我讲这些的时候，贝贝脸上的幸福和甜蜜，简直无法言表的美好，她一听完，经常会说："妈妈，我那时候为什么那么搞笑呢？”

每当这个时候，我无比热爱自己，因为这一刻，我真像个母亲，真像个女人，我能给任何人都无法给她的点滴，这些点滴也丰富着我的生命，让我无愧于自己……

孩子的成长，需要母亲的热爱，需要母亲的注视，她转眼就会长大，当她长大的时候，她不能变小，当她长大的时候，她不会让你抱，你亲她，她会说：“呸呸呸”。

我们曾经很穷过，但我们一直是穷快活的，这一点总让我们骄傲。

在我们“5块钱的美味佳肴”的时代，我老哥经常说：“哎呀，妹，我觉得我们越穷你越有力量呢。”

贫穷，最能考验女人。

真的，当我点着香薰、蜡烛，穿着美丽的真丝睡衣，听着纯美的音乐靠在老哥身上的时候，我不觉得这时候我最女人。

而当我们面对贫穷、面对困难，我的骨子里涌动着女人的力量和温柔的时候，我最女人……

这个时候的我，最能激发老哥的力量，然后我们一起去面对任何磨难。所以，如果你认为你们经济状况不好，你老哥的生意不顺的时候，正是你应该好好表现的时候。相信我，他会因此对你有骨子里的感激和热爱。

何谓幸福（天涯社区）

我和GG还没结婚，但是也是生活在一起了，平时也挺好的，但是我总感觉两个人的交流上存在问题。举个例子吧：今天晚上GG回来上网，我走过来看见他正在搜索他老家的中学，看什么师资力量之类的。就感觉很奇怪，于是问他为什么会看这些，他头也不抬：“没什么，没什么”，我很反感这种说话的口气，哪怕他就说个瞎逛逛到这里了或者说想起以前学校啊什么之类的，也算是个很小的原因呀。类似的情况还有很多，我跟他说过很多次，可是结果还是一样的。和 GG 在一起除去这种情况外都还是很开心，很幸福，他也对我很好。我不知道是不是自己小心眼想得太多了还是怎样，总之我想改变这种状况，却没有办法，希望幸福的深圳女娃能够给点建议。

深圳女娃：

一、说明你心思是很细腻的，而且有一开始就经营你们的感情的主张，发现有不满意的方面，在思考并寻求解决的办法，我为你高兴，也期待你有完美的爱情。

二、要做到两个人完全融合，无话不谈，要有比较长的时间的渗透，要有很深的默契。我和老哥有 14 年的爱恋，才会有现在的炉火纯青，我猜你们还很年轻，还需要点时间来渗透。

三、其实也不用太刻意，有点距离也不一定不好，有些话只对自己说也不是坏事。两人真心相爱，自然努力就好了，每一对人，最终都会有自己的独特的相处、相爱方式，不用单方面一个人勉强，那样会很累。

四、如果很希望是那种亲密无间的状况，希望无话不谈，那么你可以换换方式：(1) 理解他的所作所为，并参与进去，如果可以的话，两个人一起做他想做的事；理解他所说的话，让他觉得你是一个能彻底懂他的人；(2) 改变下谈话方式，比如要是我看到我老哥“正在搜索他老家的中学，看什么师资力量之类的”，我就会这样说：“哎呀，挺怀旧的嘛，我也看看”、或者“我倒要看看是什么样的学校培养了我这么棒的老哥”，他一听，当然高兴，然后也就愿意与我分享了，顺便吹下牛，当初怎样怎样，我也就获得了更多他以往的信息，呵呵，越了解他当然就越有共同语言了。

而你问他说“为什么看这些”，一来你让他觉得遥远，二来他会觉得你在否定他的做法，觉得他很奇怪，三来他认为让你明白他的做法可能得费一大堆唇舌，所以就放弃了，男人最怕麻烦了，所以就对付你说“没什么”。

呵呵，我的“自以为是”而已，不知道你看了感觉怎样？

singlering（深圳房地产信息网）

看到你的文章对我很重要。惭愧啊，在这么幸福的一堆人里面，要承认自己跟幸福擦肩而过，是很逊的事情吧。介绍一下我的现状：宝宝刚满两个月，跟老公分居中，是个非常失败的女人。让一个曾经深爱过我的男人，变成一个宁愿舍弃一切也要离开我的人。本来看到别人的幸福，是会刺激自己的不幸倍增的。不知道为什么，看了你的文章，感觉却好好。虽然我跟自己的幸福错过了，但是看到它毕竟还在人间，就觉得人生还是有希望嘛。

自己现在好变态，好像自己越不幸（其实只是运气不好），就希望旁人越幸福，就是再也不想看见悲剧了，不想别人重温我的悲伤。这样，我也就不悲伤了。

说不清楚，或许是这样——自己伤得太重，不敢再期望幸福降临了，但又怕幸福彻底走开，所以宁愿看它降临在别人身上，那暖光也能安抚我片刻。

深圳女娃：

看到你的回帖，我的眼前，浮现这样一个人，她善良、温柔。她曾经悲伤过，但悲伤没有带走她脸上的阳光，她经历过事情，但那些事情带给了她力量……

她曾经爱过，爱过她的人带给她两个更值得爱的人，两个月大的孩子和未来的爱人……

她最近有些不走运，但运气也许明天就会到来……

她这会儿不太幸福，但她希望我们都幸福……

她这会儿不太幸福，但她一定会幸福！

因为她永远有获得幸福的力量，还有我们所有善良的人的保证……

swan（深圳房地产信息网）

感慨JJ的幸福心态，更感慨幸福不能复制。看了JJ的帖，一直对为LG挤牙膏那一段记忆犹新。前天一大早起床心血来潮，想起JJ曾说过，试试为身边的人挤牙膏，一定能看到意想不到的惊喜。兴奋地替LG挤好牙膏，在漱口杯里装好水，满怀期待地上班了。等了一天，LG也没打电话来。晚上回家实在忍不住了，问他："你没发现今早刷牙有什么不同吗？" 他看了我一眼，问我："没啥啊，听实话吗？"人家告诉我反应如下：

第一反应：我昨晚没挤牙膏啊；

第二反应：可能是LP看错牙刷挤错了；

第三反应：咦，怎么连水也装上了？

第四反应：牙膏都干了，不好用。

气得我牙痒痒，这个猪头!!!! 我6点半就起床了，他8点才起来，牙膏当然早就干了！感慨啊，幸福是复制不来的，我们只能遵循自己的幸福轨迹过着自己才能感悟的幸福日子。

深圳女娃：

MM，你真的真的好可爱！而你的GG也很逗，你们一定会幸福的，我几乎可以保证。第一，因为你是很有感受力的人；第二，你很有行动力！这一点尤其重要；第三，你们之间有一种难得的可爱和真实在流动，我相信你们的相处会非常有趣。

这件事情给你的最后感悟是应该寻找自己的方式，属于你们俩的幸福，这个结论真是太棒了。没错，事件不需要复制，但精神是相通的——就是努力寻找自己的幸福，努力经营自己的幸福！事实上，经得起推敲的幸福，除了是完全适应彼此的以外，还需要经过时间来熬一熬。不能这样要求立竿见影。

比如你挤牙膏这件事情，也许他并没有看到这些内容，或者看到了，并没有你这般体味，而你因为感受很深，贸贸然给了他一场无声的考试，又稀里糊涂让他得了个低分，这当然不公平，很不公平。事实上，你可以跟他说出你心里的感受，把你的解读，你的心思向他敞开，用他喜欢的方式接受你的感觉。如果他也深以为然，而且你又为他做了，他当然会很感激的。如果他并不认同，你可以把你领略到的精神层面跟他探讨，用你们喜欢的方式，来表达彼此。

有时候，暂时忽略自己的感受，仅仅做让他（她）幸福的事情，也是一种幸福。就是说，幸福着他的幸福。你也许会说，凭什么？凭什么要我对他好，他不对我好？凭什么他毫无反应，我还要对他好？我也许很傻，但我还是认为，为自己所爱的人做任何事情都是值得的，不为别的，只为你的爱。

其次，以我的经验来看，其实你做了什么，你的好，你的爱，你的付出，一定会被看到，会被感受，会有作用。你不要以为他们都是木头，他们都是木瓜，也许他们还不习惯表达，也许他们看到了也装酷，但是，一定是有效果的。不过，不要要求立竿见影。

我觉得爱人之间，不要你给了他一颗黄豆，一定要他立即给你一颗花生，那样过于功利。既然爱一个人是一辈子的事，他在此处做得不够，可能会在彼处补偿给你。营造幸福的氛围，不是这么简单,不是一两件事就能做到的,还需要时间,需要磨砺。

做一件事情,没得到预想的结果,然后就失落,就退却,这可不好哦,女蛙 JJ 不答应。

落寞眼神(天涯社区)

看了你的帖子,我很有感触:怀揣梦想来深圳打拼天下的人该如何去笑对生活,如何让平淡的夫妻生活经营得充满韵味和浪漫,你的文字充满睿智和幽默,让我为之喝彩。几年没看到这么好的帖子,谢谢你,女蛙。

我在深圳将近七年了,也在深圳结婚买房生子,为了生活,我不得不选择飘零海外,国外的寂寞生活让我很怀念妻子和小女儿。有句话,想和所有在婚内的朋友共勉:爱无处不在,需要你智慧的经营。

深圳女蛙:

谢谢你的回复和真诚的赞美!

有了爱,你的妻子和小女儿离你很近,不,本来就在你心里嘛,她们不曾离开你……

有了网络,祖国人民离你很近……

有了怀念,深圳的一切离你很近……

没事常给我们发帖哈!

图书在版编目(CIP)数据

三个人的天堂/深圳女蛙著. -北京:中信出版社,2007.12

ISBN 978-7-5086-1032-0

Ⅰ.三… Ⅱ.深… Ⅲ.长篇小说-中国-当代 Ⅳ.I247.5

中国版本图书馆CIP数据核字(2007)第177844号

三个人的天堂

SANGEREN DE TIANTANG

著　者:深圳女蛙

策划者:中信出版社策划中心

出版者:中信出版社(北京朝阳区和平里十三区35号煤炭大厦　100013)

经销者:中信联合发行有限责任公司

承印者:北京画中画印刷有限公司

开　本:850mm×1168mm　1/32　**印　张**:10　**字　数**:200千字

版　次:2008年1月第1版　**印　次**:2008年5月第2次印刷

书　号:ISBN 978-7-5086-1032-0/I·58

定　价:25.00元